Collection dirigée
par Hélène Potelet et Georb

Homère

L'Odyssée

**Texte adapté du grec
par Michèle Busseron et Hélène Potelet**

Le héros face aux monstres
V. Hugo, J.R.R. Tolkien, P. Grimal, H. Kérillis

Et un dossier Histoire des arts
L'*Odyssée*, source
d'inspiration artistique

© Hatier
Paris 2015
ISBN 978-2-218-99136-3
ISBN 01840851

Michèle Busseron,
Hélène Potelet,
agrégées de lettres classiques

SOMMAIRE

CARNET DE LECTURE

QUESTIONS SUR LE…

BILAN DE LECTURE

GROUPEMENT DE TEXTES : LE HÉROS FACE AUX MONSTRES

DOSSIER HISTOIRE DES ARTS : L'ODYSSÉE, SOURCE D'INSPIRATION ARTISTIQUE

REPÈRES

QUESTIONS

Le contexte historique

- L'*Iliade* et l'*Odyssée* (VIIIe siècle av. J.-C.) racontent des épisodes remontant à **la guerre de Troie**, qui eut lieu au XIIIe siècle av. J.-C., soit cinq siècles avant leur composition.

- Selon la légende, Agamemnon, chef **achéen**, roi de Mycènes, a lancé une expédition contre Troie.
  Dès 2000 av. J.-C, les Achéens, venus d'Asie centrale, avaient envahi la Grèce ; ils adoptèrent la brillante civilisation crétoise. Le centre de leur puissance était **Mycènes**.

- L'époque de la guerre de Troie voit la fin de la civilisation **mycénienne**. **Les Doriens** envahissent la Grèce vers le XIIe siècle av. J.-C. Fuyant les barbares doriens, une partie des habitants émigre sur les côtes d'Asie (Asie mineure).

Début de la civilisation crétoise (Crète)

2700

2000 av. J.-C.

1650

Époques

mycénienne

Épopée de Gilgamesh (2300 av. J.-C.)

4

Le contexte culturel

▸ Les poèmes d'Homère ont été rapidement mis par écrit :
  ils précédent de peu l'apparition de l'alphabet grec.

▸ Les poètes ambulants, ou **aèdes**, accompagnés de
  leur **cithare**, célébraient et transmettaient les exploits
  des anciens chefs guerriers achéens.

▸ Le mode de vie décrit dans l'*Iliade* et l'*Odyssée* est pour
  l'essentiel celui de **l'époque d'Homère**, mais on y trouve
  des éléments de l'époque mycénienne.

▸ Les époques mycénienne et homérique ont fourni une
  céramique (poterie) abondante. La pierre et le bronze
  sont les matériaux principalement utilisés pour les statues.

▸ Les Grecs pratiquaient **le sport** (saut, lancer de disque...) :
  les premiers Jeux Olympiques datent de 776 av . J.-C.

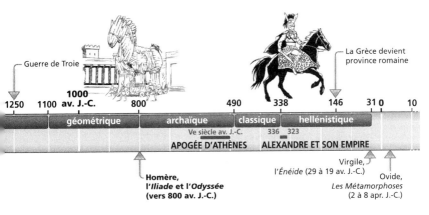

Guerre de Troie

La Grèce devient province romaine

1000 av. J.-C.

1250 1100   800   490   338   146   31 0   10

géométrique | archaïque | classique | hellénistique

Ve siècle av. J.-C.   336 323
APOGÉE D'ATHÈNES   **ALEXANDRE ET SON EMPIRE**

Homère, l'*Iliade* et l'*Odyssée* (vers 800 av. J.-C.)

Virgile, l'*Énéide* (29 à 19 av. J.-C.)

Ovide, *Les Métamorphoses* (2 à 8 apr. J.-C.)

Homère

Qui était Homère ?

► On pense qu'Homère a vécu au VIIIe siècle avant J.-C. **Sept villes** se disputaient l'honneur de l'avoir vu naître. Il aurait mené une **vie errante**, avant de se fixer sur l'île de Chios, près de la côte d'Asie mineure.

► Les Grecs le représentaient sous les traits d'un **aède** (poète chanteur), barbu, pauvre et **aveugle**, qui allait de village en village pour réciter ses poèmes, s'accompagnant d'une lyre.

Les œuvres d'Homère : l'*Iliade* et l'*Odyssée*

► On attribue à Homère **les deux premières œuvres écrites** de la littérature occidentale : l'*Iliade*, qui raconte la dernière année de la guerre de Troie (appelée aussi Ilion), et l'*Odyssée*, qui raconte le retour du héros grec Ulysse (*Odusseus* en grec), roi d'Ithaque, dans sa patrie.

► On s'est posé la question de savoir si l'*Iliade* et l'*Odyssée* sont l'œuvre d'un seul poète ; il est probable qu'Homère en a composé la majeure partie. On ne sait s'il a réuni divers morceaux écrits par d'autres poètes ou si les aèdes qui lui ont succédé ont complété son œuvre.

L'*Odyssée*, une épopée

► Une épopée est un long récit en vers (un poème épique) qui **conte les aventures d'un héros** aux prises avec des forces extraordinaires. L'*Odyssée*, écrite en langue grecque, comporte vingt-quatre chants et environ 12 000 vers.

► Les épopées étaient à l'origine des **poésies orales** faites pour être dites par un aède. Elles ont été ensuite fixées par écrit.

Les personnages de l'*Odyssée*

Les dieux

► **Zeus** : maître des dieux, il règne sur le ciel et la terre.
► **Athéna** : déesse de la sagesse, elle protège Ulysse.
► **Poséidon** : maître des mers, il peut, d'un coup de trident, provoquer des tempêtes et des tremblements de terre.
► **Hermès** : messager de Zeus, il porte des sandales ailées.

Les mortels

► **Ulysse** : vaillant guerrier grec, il met dix ans à rentrer à Ithaque après la guerre de Troie.
► **Pénélope** : épouse fidèle, elle attend Ulysse pendant vingt ans.
► **Télémaque** : fils d'Ulysse, il l'aide à chasser les prétendants.
► **Alcinoos et Nausicaa** : roi de Phéacie et sa fille.
► **Eumée** : porcher d'Ulysse, fidèle à son maître.
► **Euryclée** : nourrice d'Ulysse, elle le reconnaît à une cicatrice.
► **Antinoos** : chef des prétendants.

Les nymphes et les monstres

► **Calypso** : « la nymphe aux belles boucles », elle retient Ulysse pendant sept ans.
► **Circé** : nymphe magicienne, elle transforme les compagnons d'Ulysse en porcs.
► **Polyphème le Cyclope** : fils de Poséidon, il ne possède qu'un œil rond au milieu du front. Il dévore les compagnons d'Ulysse.
► **Les Sirènes** : mi-femmes mi-oiseaux, elles ensorcellent les matelots de leurs chants.
► **Charybde** : monstre marin qui engloutit les navires dans son tourbillon.
► **Scylla** : monstre marin à six têtes avec un corps de chien.

Résumé de l'*Odyssée*

▶ Ulysse, guerrier grec, a participé à la guerre de Troie dont le siège **a duré dix ans**. Après la victoire des Grecs, Ulysse s'embarque pour rentrer à Ithaque. Son voyage, raconté dans l'*Odyssée*, a duré **dix autres années**.

▶ Chants I à IV
Au cours d'une assemblée des dieux, Athéna rappelle à Zeus le sort d'Ulysse, retenu depuis sept ans sur l'île de la nymphe Calypso (**Texte 1**). Puis elle prend l'aspect d'un homme et se rend à Ithaque ; là, de jeunes nobles, les prétendants, installés dans la demeure d'Ulysse, veulent obliger Pénélope, sa femme, à épouser l'un d'eux. Athéna incite Télémaque, fils d'Ulysse, à partir à la recherche de son père.

▶ Chant V
Zeus envoie Hermès donner l'ordre à Calypso de laisser partir Ulysse. Malgré son chagrin, elle obéit (**Texte 2**). Ulysse quitte l'île, mais après une navigation de dix-huit jours, Poséidon déchaîne une violente tempête. Ulysse fait naufrage (**Texte 3**).

▶ Chants VI à VIII
Ulysse échoue sur le rivage des Phéaciens où il rencontre Nausicaa, la fille du roi Alcinoos. Elle le conduit au palais de son père (**Texte 4**). Une fête est donnée en son honneur, et Alcinoos l'interroge sur son passé (**Texte 5**).

▶ Chants IX à XII
Ulysse raconte à ses hôtes les différents dangers qu'il a affrontés, depuis son départ de Troie, avec ses compagnons qui ont tous péri (ici se place le **retour en arrière**) :
– les guerriers Cicones, alliés des Troyens, qui ont tué quelques-uns de ses compagnons ;
– les Lotophages, mangeurs de lotus : ils ont offert à ses compagnons la fleur qui provoque l'oubli du retour ;

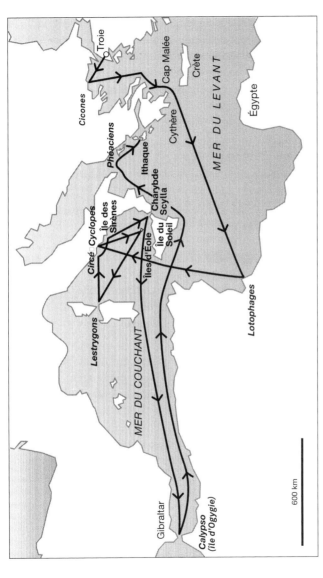

Carte du périple d'Ulysse

Troie
Cicones
Cap Malée
Crète
Égypte
MER DU LEVANT
Cythère
Phéaciens
Ithaque
Charybde
Scylla
Île des Sirènes
Île du Soleil
Circé Cyclopes
Îles d'Éole
Lestrygons
Lotophages
MER DU COUCHANT
Gibraltar
Calypso (île d'Ogygie)

600 km

9

– le Cyclope, géant à œil unique qu'il a aveuglé, s'attirant par là la colère du dieu de la mer Poséidon, père du Cyclope (**Textes 6 et 7**) ;
– les vents, échappés de l'outre d'Éole par la faute de ses compagnons, ce qui leur a valu une tempête (**Texte 8**) ;
– les Lestrygons, géants cannibales qui ont écrasé avec les rochers tous les navires sauf le sien ;
– la magicienne Circé, qui a transformé ses compagnons en porcs (**Texte 8**) ;
– le voyage aux Enfers qui lui a permis de rencontrer le devin Tirésias et de savoir comment rentrer chez lui ; il y a retrouvé sa mère Anticlée (**Texte 9**) ;
– les Sirènes, à la voix charmeuse (**Texte 10**) ;
– les monstres marins Charybde et Scylla (**Texte 10**) ;
– les vaches du Soleil, que ses compagnons ont dévorées : le Soleil s'est vengé, provoquant un naufrage dans lequel tous ses compagnons se sont noyés (**Texte 10**) ;
– son arrivée et son séjour de sept ans chez la nymphe Calypso, son départ et son dernier naufrage, puis l'accueil qui lui a été réservé au pays des Phéaciens (**fin du récit d'Ulysse**).

▶ **Chants XIII à XXIV**

Alcinoos, ému par ce récit, aide Ulysse à quitter la Phéacie et à regagner Ithaque. La déesse Athéna lui donne l'aspect d'un vieux mendiant pour le rendre méconnaissable. Ulysse, reçu par le porcher Eumée, ne dévoile son identité qu'à son fils Télémaque (**Texte 11**), mais il est reconnu par sa servante Euryclée et son vieux chien Argos (**Texte 12**). Ulysse subit les insultes des prétendants, mais quand Pénélope propose une épreuve de tir à l'arc, il l'emporte sur tous et massacre les prétendants (**Texte 13**). Ulysse retrouve enfin son épouse (**Texte 14**).

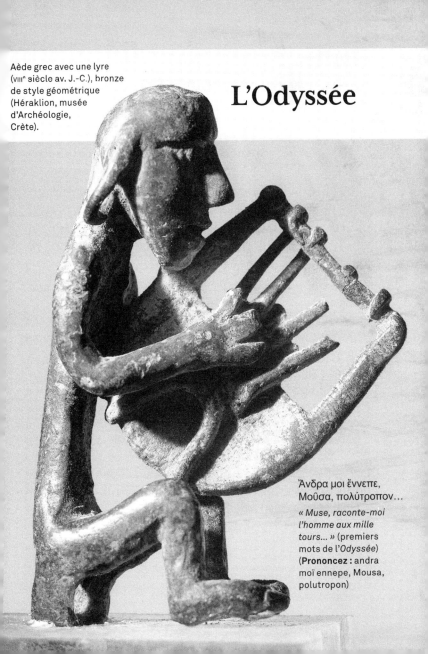

Aède grec avec une lyre
(VIIIᵉ siècle av. J.-C.), bronze
de style géométrique
(Héraklion, musée
d'Archéologie,
Crète).

L'Odyssée

Ἄνδρα μοι ἔννεπε,
Μοῦσα, πολύτροπον…

*« Muse, raconte-moi
l'homme aux mille
tours… »* (premiers
mots de l'*Odyssée*)
(**Prononcez :** andra
moï ennepe, Mousa,
polutropon)

« Seul Ulysse restait encore loin de son pays... »

Invocation[1] à la muse

Raconte-moi, Muse[2], l'histoire d'Ulysse, l'homme aux mille tours, qui erra si longtemps sur les mers après avoir pillé la ville de Troie[3], et qui endura mille angoisses pour survivre et ramener ses compagnons. Ô déesse, fille de
5 Zeus, dis-nous quelques-unes de ses aventures.

L'assemblée des dieux

Tous les héros de la guerre de Troie étaient rentrés chez eux. Seul Ulysse restait encore loin de son pays et de sa femme ; car, depuis sept ans, la nymphe[4] Calypso le retenait prisonnier au creux de ses cavernes, brûlant de le
10 garder avec elle et de l'avoir pour époux. Et même quand les dieux eurent décidé son retour à Ithaque[5], il ne fut pas au bout de ses épreuves. Tous les dieux en effet avaient pitié de lui, sauf un seul, Poséidon, qui poursuivait de sa haine le divin Ulysse et l'empêchait de rentrer chez lui.
15 Or il arriva que Poséidon s'en était allé festoyer chez les

---

1. **Invocation :** prière adressée à une divinité pour lui demander sa protection.
2. **Muse :** déesse protectrice des arts et des sciences.
3. **Troie :** ville d'Asie Mineure prise par les Grecs (ou Achéens) après dix ans de siège.
4. **Nymphe :** divinité de la nature.
5. **Retour à Ithaque :** probablement la dixième année après la fin de la guerre de Troie.

Éthiopiens[6], tandis que les autres divinités tenaient leur assemblée sur l'Olympe[7], dans le palais de Zeus.

Athéna, la déesse aux yeux pers[8], prit alors la parole :

20 – Fils de Cronos, notre père, dieu tout puissant, j'ai le cœur brisé pour le sage Ulysse, qui, loin des siens, continue de souffrir dans une île isolée[9]. Sur cette terre ombragée habite une déesse, fille d'Atlas[10], qui l'ensorcelle de son amour et le retient captif malgré ses pleurs. Ton cœur, roi de l'Olympe, reste-t-il donc insensible à celui qui t'of-

25 frait jadis de pieux[11] sacrifices sur les rivages de Troie ?

Zeus, l'assembleur des nuées[12], lui fit cette réponse :

– Ma fille, quelle parole s'est échappée de tes lèvres ? Comment pourrais-je oublier le sage Ulysse qui l'emporte sur les mortels, par l'intelligence et le respect des dieux ? C'est Poséidon, le dieu qui fait trembler la

30 terre[13], qui s'acharne contre lui : il veut venger son fils, le Cyclope Polyphème dont Ulysse a crevé l'œil ; et depuis ce jour, il l'éloigne de sa patrie… Mais allons ! décidons son retour ; Poséidon finira par abandonner sa colère car

35 il ne pourra tenir tête à tous les Immortels.

Athéna, la déesse aux yeux pers, répliqua :

– Fils de Cronos, notre père, si les dieux estiment que le sage Ulysse doit rentrer en sa maison, envoie Hermès,

---

6. Éthiopiens : population qui vivait de part et d'autre du Nil (peut-être Éthiopiens actuels).
7. Olympe : montagne de Grèce dont la cime enneigée est le séjour des dieux.
8. Pers : couleur brillante et changeante où domine le bleu.
9. Dans une île isolée : il s'agit de l'île d'Ogygie, voir carte p. 9.
10. Fille d'Atlas : Calypso, dont le père est le géant Atlas.
11. Pieux : respectueux envers les dieux.
12. Assembleur des nuées : assembleur des nuages. On appelle Zeus ainsi car il maîtrise les éléments naturels.
13. Terre : pour les Anciens, disque plat posé sur l'Océan que le dieu des mers peut faire trembler.

le messager aux rayons clairs, jusqu'à l'île océane[14] : il
40 annoncera à la nymphe aux belles boucles qu'Ulysse doit
retourner chez lui. Moi-même, j'irai à Ithaque trouver
son fils Télémaque ; je lui donnerai la force et le courage
d'interdire aux prétendants[15] l'entrée du palais d'Ulysse.

À ces mots, la déesse attacha à ses pieds ses sandales
45 immortelles, en or, et s'envola du haut de l'Olympe. Elle
se posa à Ithaque devant le porche d'Ulysse, sa javeline[16]
de bronze à la main ; elle avait pris les traits d'un étranger,
ceux du noble Mentès, roi de Taphos[17].

Elle trouva là les prétendants : ils jouaient aux jetons,
50 assis devant les portes, sur les cuirs des bœufs qu'ils
avaient abattus, tandis que des serviteurs leur servaient
à boire et à manger.

Télémaque, au visage de dieu, vit qu'un visiteur étranger
attendait, debout devant sa porte.

55 Il alla vers lui, lui prit la main droite, le débarrassa de sa
javeline, et lui adressa ces paroles ailées[18] :

– Salut ! Chez nous, mon hôte, on saura t'accueillir.
Tu dîneras d'abord ; tu nous diras ensuite ce dont tu as
besoin.

Extraits du chant I.

---

14. L'île océane : voir note 9.
15. Prétendants : jeunes nobles qui veulent épouser Pénélope et s'emparer du trône.
16. Javeline : lance.
17. Taphos : île proche d'Ithaque.
18. Ces paroles ailées : expression poétique très souvent utilisée dans l'*Odyssée* ;
les paroles volent d'un interlocuteur à l'autre, comme si elles avaient des ailes.

Athéna se présente donc à Télémaque comme étant Mentès de Taphos ; elle déclare qu'elle a connu jadis Ulysse et qu'elle a entendu dire, au cours de ses voyages, qu'il n'était pas mort. Le jeune homme lui confie alors ses malheurs : sa crainte de ne plus jamais revoir son père ; la présence en son palais de jeunes nobles d'Ithaque qui pillent ses biens et courtisent sa mère Pénélope pour l'épouser ; la ruse que Pénélope a imaginée pour les repousser. Athéna conseille à Télémaque de chasser les prétendants et de tenter de retrouver les traces de son père.

Le lendemain, Télémaque s'adresse au peuple pour crier son indignation contre les prétendants. Il s'emporte contre eux et les met au défi : s'ils craignent les dieux, qu'ils quittent les lieux car la situation ne peut plus durer.

La ruse de Pénélope

60 Quand il eut terminé son discours, Télémaque, de colère, jeta son sceptre à terre en versant des larmes. Pris de pitié, le peuple restait muet. Même les prétendants n'osaient lui répondre par de dures paroles.

Seul Antinoos[19] se leva pour lui dire :

65 – Qu'as-tu osé dire, Télémaque ? Tu viens nous insulter ! Mais la cause de tes malheurs, est-ce nous ?... Ou bien ta mère qui depuis trois ans, bientôt quatre, trompe les Achéens[20] en faisant à chacun de fausses promesses. Voici

---

19. Antinoos : l'un des prétendants les plus violents et orgueilleux.
20. Achéens : Grecs.

la nouvelle ruse qu'elle a imaginée en son cœur. Elle avait
70 dressé un grand métier pour y tisser une immense toile,
un linceul[21] pour Laërte, le père d'Ulysse, qui servirait à
l'envelopper au moment de sa mort : « Permettez, nous
dit-elle, que j'achève cet ouvrage avant de choisir pour
époux l'un d'entre vous. » Durant le jour elle tissait cette
75 grande toile, mais la nuit elle venait la défaire à la lumière
des torches. Trois années durant, son secret nous trompa ;
mais la quatrième, elle fut dénoncée par une servante et
contrainte de terminer son ouvrage.

Extrait du chant II.

*Pénélope doit désormais choisir un époux parmi les prétendants.
Poussé par Athéna, Télémaque part en quête d'informations sur son
père ; il se rend à Pylos, puis à Lacédémone.*

---

21. **Linceul :** tissu servant à envelopper un mort.

AI-JE BIEN LU ?

1 Dans quel lieu Ulysse se trouve-t-il lorsque commence le récit ? Quel personnage le retient ?

2 **a.** Quel dieu l'empêche de rentrer à Ithaque ?
b. Quelle déesse lui apporte son soutien ?

3 Pourquoi les dieux se réunissent-ils en assemblée ? Pourquoi Poséidon est-il absent ?

4 Quelle décision Zeus prend-il concernant Ulysse ?

5 Où Pénélope et Télémaque se trouvent-ils ? Quels liens familiaux les unissent à Ulysse ?

J'ANALYSE LE TEXTE

Le narrateur
....

> Le **narrateur** est celui qui **raconte** l'histoire. Il peut mener le récit à la 1re personne (dans ce cas il est un personnage de l'histoire), ou à la 3e personne (il est alors extérieur à l'histoire).
> Il intervient parfois pour impliquer l'auditoire dans son récit.

6 **a.** Relisez le premier paragraphe. Par quels pronoms personnels le narrateur intervient-il dans son récit ? À qui s'adresse-t-il ? Dans quel but ?
b. À quelle personne mène-t-il par la suite le récit ? Est-il ou non un personnage de l'histoire ?

Le parcours d'Ulysse
....

— Ulysse, un héros épique

> Ulysse est un **héros épique** (d'épopée). Le héros épique est un personnage hors du commun qui se caractérise par son courage et ses qualités exceptionnelles.

7 Quelles paroles de Zeus montrent qu'Ulysse est un héros hors du commun ?

8 Les épithètes homériques

> Dans l'*Odyssée*, les dieux et les êtres humains, les animaux, les lieux et les choses sont souvent caractérisés au moyen d'expressions poétiques appelées **épithètes homériques** : *l'Aurore aux doigts de rose, le rusé Ulysse*... Ces formules souvent répétées rythment le texte, et servaient de repères au récitant.

Relevez les épithètes homériques qui caractérisent Ulysse (l. 1 à 43). Quelle image donnent-elles de lui ?

━ Ulysse chez Calypso

9 **a.** Depuis combien d'années Ulysse a-t-il quitté Ithaque ? (aidez-vous des notes 3 et 5).

b. Pourquoi la nymphe Calypso le retient-elle prisonnier ? Citez le texte. Combien de temps est-il resté chez elle ?

c. Ulysse est-il heureux auprès d'elle ? Citez le texte.

Pénélope et les prétendants

10 **a.** Qui sont les prétendants ? Aidez-vous de la note 15.

b. Comment les prétendants se comportent-ils dans la demeure d'Ulysse ?

c. Sur quel ton Antinoos s'adresse-t-il à Télémaque ? Qui rend-il responsable des maux qui accablent Ithaque?

11 **a.** Quelle ruse Pénélope a-t-elle imaginée contre les prétendants ?

b. Pendant combien de temps cette ruse a-t-elle fonctionné ?

Le récit épique : l'intervention des dieux

> Les dieux sont constamment présents dans l'*Odyssée*. Ils prennent parti pour ou contre tel ou tel mortel qu'ils protègent ou persécutent.

12 Pour quelle raison Poséidon s'oppose-t-il au projet d'Ulysse (l. 27 à 35) ?

13 Quel est le plan d'Athéna ? De quelle façon entre-t-elle en contact avec les mortels ?

14 Relevez les épithètes homériques qui caractérisent Athéna, Poséidon et Hermès (l. 18, 30-31, 39).

J'ÉTUDIE LA LANGUE

Le vocabulaire d'Homère

15 Le nom propre « Ulysse » est d'origine latine (*Ulixes*) ; son nom grec est *Odusseus*.

a. Quel est sens du titre de l'œuvre d'Homère, l'*Odyssée* ?

b. Quel est le sens moderne de ce mot ?

16 Que signifie l'expression « une toile de Pénélope » ?

17 Quel rapport voyez-vous entre le mot « muse » et les mots « musée » et « musique » ?

Grammaire : les épithètes homériques

> Les épithètes homériques se présentent sous la forme :
> – d'un nom ou groupe nominal (GN) **complément du nom** : *la nymphe aux belles boucles* ;
> – d'un GN mis en **apposition** : *Zeus, l'assembleur des nuées* ;
> – d'un **adjectif épithète** : *le divin Ulysse*.

18 Analysez les épithètes homériques en gras : GN complément du nom, GN mis en apposition ou adjectif épithète.

a. « Raconte-moi, Muse, l'histoire d'Ulysse, **l'homme aux mille tours** » (l. 1).

b. Le **sage** Ulysse voudrait revoir Ithaque.

c. Zeus envoie chez Calypso Hermès **à la baguette d'or**.

d. Athéna, **la déesse aux yeux pers**, est la protectrice d'Ulysse.

J'ÉCRIS

Construire des épithètes homériques

19 Construisez trois épithètes homériques pour caractériser la force d'un héros, un dieu de l'Olympe, la beauté d'un jeune homme ou d'une jeune fille, un acteur, un chanteur...

> CONSIGNES D'ÉCRITURE
> Vous varierez les constructions : complément de nom, apposition, ou épithète.

POUR ALLER PLUS LOIN

Les muses

20 Faites une recherche sur les muses :
a. De quel dieu sont-elles les filles ?
b. Où vivent-elles ? En compagnie de quel dieu ?
c. Combien sont-elles ? Quelles sont les attributions de chacune ?

La déesse Athéna

21 Faites une recherche sur la déesse Athéna :
a. Quel est son nom latin ? Qui sont ses parents ?
b. Résumez le récit de sa naissance.
c. Quelles sont ses différentes fonctions ?
d. Quels sont ses attributs (objets ou animaux qui lui sont associés) ?

> AIDE
> Vous pouvez consulter une encyclopédie, un dictionnaire mythologique ou le site http://mythologica.fr/grec/index.htm.

« Je ne veux plus te voir souffrir ainsi... »

Hermès, fils de Zeus et messager des dieux, est envoyé sur l'île de la nymphe Calypso.

Le Messager aux rayons clairs se hâta d'obéir aux ordres de Zeus : il noua à ses pieds ses belles sandales d'or qui le portent sur la terre et les eaux aussi vite que le vent ; et plongeant du haut de l'Olympe, il vola sur les flots, pareil
5 au goéland[1] qui chasse les poissons au creux des vagues et mouille dans les embruns[2] son lourd plumage.

Parvenu au bout du monde, Hermès aborda l'île et alla vers la grande caverne dont la nymphe aux belles boucles avait fait sa demeure. Il la trouva chez elle, auprès de
10 son foyer où flambait un grand feu de bois. Elle chantait à belle voix en tissant au métier de sa navette[3] d'or. Un bois touffu et odorant avait poussé autour de la caverne : peupliers noirs, cyprès parfumés où nichaient des oiseaux à la large envergure[4], chouettes, faucons et criardes
15 corneilles qui vivent sur la mer. Autour de la grotte se déployait une vigne fleurie près de laquelle coulaient des sources d'eau pure. Le dieu aux rayons clairs s'arrêta pour admirer, puis il entra dans la vaste caverne ; quand

---

1. Goéland : oiseau marin, ou mouette.
2. Embruns : poussière de gouttelettes formée par les vagues qui se brisent.
3. Navette : objet pointu servant à passer le fil sur un métier à tisser.
4. Envergure : étendue des ailes déployées.

il parut aux yeux de Calypso, elle le reconnut aussitôt. Elle
20 le fit asseoir sur un fauteuil brillant et lui servit nectar et
ambroisie[5].

Le repas terminé, Hermès prit la parole :

– C'est Zeus qui m'envoie jusqu'ici. Il dit que tu retiens
contre son gré le plus malheureux des héros qui combat-
25 tirent sous les murailles de Troie. Aujourd'hui il t'ordonne
de le renvoyer, car son destin n'est pas de mourir sur cette
île, loin des siens.

Calypso frissonna et lui dit ces paroles ailées :

– Que vous êtes cruels, dieux jaloux entre tous, vous
30 qui refusez aux déesses le droit d'aimer un mortel !
Cet homme, c'est moi qui l'ai sauvé quand Zeus avait
foudroyé son navire et tué son équipage[6] ; c'est moi qui
l'ai accueilli, nourri et chéri, lui promettant l'immortalité.
Qu'il parte donc, si telle est la volonté de Zeus qui tient
35 l'égide[7] !... Mais comment ferai-je ? Je n'ai ni vaisseau, ni
marins à lui donner...

Après l'avoir menacée de la colère de Zeus, Hermès
repartit et la nymphe, cédant aux ordres du maître des
dieux, alla rejoindre Ulysse. Elle le trouva assis sur un
40 rocher, les yeux baignés de larmes ; il passait ses jours à
regarder la mer, pleurant sur un impossible retour, car il
n'aimait plus Calypso.

La divine Calypso lui dit :

---

5. **Nectar et ambroisie :** boisson et nourriture des dieux.
6. **Tué son équipage :** Zeus a puni ainsi les marins d'Ulysse qui avait tué les vaches
du Soleil.
7. **Égide :** bouclier recouvert de la peau de la chèvre Amalthée, nourrice de Zeus,
et qui ne peut être transpercée.

– Je ne veux plus te voir souffrir ainsi et je suis prête
45 à te laisser partir. Prends des outils, abats des arbres et
construis un radeau en assemblant de solides planches.
Moi, je te fournirai des vivres et des vêtements, et je ferai
souffler une bonne brise qui te ramènera sain et sauf dans
ta patrie.

50 Souriant, elle lui prit la main et ils revinrent ensemble à
la grotte. La nymphe lui servit la nourriture des humains,
tandis que ses servantes lui apportaient le nectar et
l'ambroisie réservés aux dieux.

– Fils de Laërte, Ulysse aux mille tours, c'est donc vrai
55 que tu veux me quitter ? Adieu donc... Mais si ton cœur
savait quels chagrins t'attendent avant ton retour, tu
resterais auprès de moi ; tu deviendrais un dieu, malgré
ton désir de revoir ton épouse. Je ne suis pas moins belle
qu'elle par la taille et l'allure ; d'ailleurs les déesses ne
60 l'emportent-elles pas sur les mortelles pour la grâce et la
beauté ?

– Déesse vénérée, pardonne-moi, je sais que Pénélope,
malgré sa sagesse, ne peut rivaliser avec toi, ce n'est
qu'une mortelle ; mais mon seul souhait, c'est de rentrer
65 chez moi. Si l'un des dieux veut encore me tourmenter
sur la mer violette, je tiendrai bon, j'ai toujours un cœur
endurant, moi qui ai tant souffert déjà sur la mer et dans
les combats !

Le soleil se coucha et ils se retirèrent enlacés au fond de
70 la grotte creuse.

Extrait du chant V.

QUESTIONS SUR LE TEXTE 2

AI-JE BIEN LU ?

1 Qui est Hermès ? Qui l'envoie ? Quel message transmet-il à Calypso ?

2 Calypso obéit-elle à l'ordre de Zeus ?

3 Cet ordre correspond-il au désir d'Ulysse ?

J'ANALYSE LE TEXTE

Le cadre

4 Où l'île de Calypso est-elle située ?

5 Le vocabulaire des sensations

> Les descriptions font souvent appel au **vocabulaire des sensations** : visuelles (vue), olfactives (odeur), auditives (bruits), gustatives (goût, saveurs), tactiles (fraîcheur, chaleur, douceur...).

Relevez dans les lignes 9 à 21 le vocabulaire des sensations. Quelle image se dégage de la demeure de Calypso ?

Le parcours d'Ulysse : Ulysse et Calypso

> Ulysse a toutes les qualités d'un héros, mais il est un **héros humain**, capable d'émotion.

6 Quels sentiments Calypso éprouve-t-elle pour Ulysse ?

7 Relevez les expressions qui montrent qu'Ulysse est triste. Pour quelle raison l'est-il ? Quel est son plus profond désir ?

8 **a.** Quels arguments Calypso utilise-t-elle pour convaincre Ulysse de rester auprès d'elle ? Quelle promesse extraordinaire lui a-t-elle faite (l. 54 à 61) ?

b. Quelle aide lui apporte-t-elle pour qu'il puisse partir ?

Le récit épique

— **Dieux et mortels**

9 **a.** Quelles sont les divinités (dieux et nymphes) qui apparaissent dans cet extrait ?

b. Relevez les épithètes homériques qui les caractérisent (l. 1, 8, 34-35 et 43).

— **Les comparaisons poétiques**

> Dans l'épopée, **les comparaisons poétiques** sont très nombreuses. Une comparaison est **une figure de style qui associe deux éléments**, le comparé (mot que l'on compare) et le comparant (mot auquel on compare), à partir d'un point commun. La comparaison est introduite par un **outil de comparaison** (*comme, tel, paraître*...).
> Ex. : *La mer brille comme un miroir.*

10 Relevez une comparaison associée au dieu Hermès (l. 3 à 6). À quoi est-il comparé ? Expliquez le choix de la comparaison.

— **Le merveilleux**

> Comme toutes les épopées, l'*Odyssée* comporte des éléments merveilleux, c'est-à-dire que l'on ne peut expliquer de manière naturelle.

11 Par quel moyen surnaturel Hermès parvient-il chez Calypso ?

12 **a.** Pourquoi la nymphe Calypso en veut-elle aux autres dieux (l. 29 à 36) ?

b. Pour quelle raison Calypso est-elle finalement obligée de laisser partir Ulysse (l. 37 à 42) ?

13 Quelles différences et ressemblances observez-vous entre les dieux et les mortels (sentiments, nourriture, durée de vie...) ?

J'ÉTUDIE LA LANGUE

Vocabulaire : la nostalgie

14 « pleurant sur un impossible retour » (l. 41) : Ulysse éprouve de la nostalgie (du grec *nostos*, « retour », et *algos*, « souffrance »). Cherchez dans un dictionnaire la définition du mot « nostalgie ». Quel est l'adjectif correspondant ?

Conjugaison

15 « Cet homme, c'est moi qui l'ai sauvé... c'est moi qui l'ai accueilli... » (l. 31 à 33).
a. Analysez les deux verbes : infinitif, temps, mode, personne.
b. Conjuguez le premier verbe à toutes les personnes au même temps : *Cet homme, c'est toi qui..., c'est lui qui...*
c. Conjuguez-le ensuite au futur de l'indicatif en conservant la structure de la phrase.

J'ÉCRIS

Décrire un lieu de l'enfance

16 Vous retournez dans un lieu de votre enfance (maison de vacances, plage, jardin...). Décrivez-le en exprimant vos sentiments.

> CONSIGNES D'ÉCRITURE
> • Vous utiliserez le vocabulaire des sensations (couleurs, lumières, bruits, parfums...).
> • Vous exprimerez vos sentiments.

POUR ALLER PLUS LOIN

Le dieu Hermès
....

17 **a.** Quel est son nom latin ?
b. Quelles sont ses différentes fonctions ?
c. Quels sont ses attributs (objets ou animaux qui lui sont associés) ?

> AIDE
> Vous pouvez consulter une encyclopédie, un dictionnaire mythologique ou le site http.//mythologica.fr/grec/index/htm.

LE SAVIEZ-VOUS ?

Les Nymphes
....

Les Nymphes sont des divinités de la nature : ce sont de belles jeunes filles (sens premier du mot *numphè* en grec) qui vivent dans les eaux, les forêts et les montagnes. Ainsi les Grecs distinguaient-ils les **dryades** (nymphes des arbres), les **naïades** (nymphes des sources et des cours d'eau), les **néréides** (nymphes de la mer) et les **oréades** (nymphes des montagnes et des grottes).

Ces divinités sont généralement **bienfaisantes**, **protectrices de la jeunesse**, surtout des jeunes filles et des fiancées. Elles peuvent être les suivantes d'une grande divinité comme Artémis, la déesse de la chasse, ou d'une nymphe d'un rang plus élevé, comme Calypso. Elles habitent dans des grottes où elles passent leur vie à filer et chanter.

TEXTE 3 LA TEMPÊTE

« Une vague immense s'abat sur lui... »

Sur son radeau, Ulysse quitte l'île de Calypso et navigue en direction de l'est.

Ulysse vogua pendant dix-sept jours ; le dix-huitième enfin, les monts boisés de Phéacie[1] apparurent ; la terre était toute proche.

C'est alors que Poséidon, revenant du pays des Éthio-
5 piens[2], aperçoit Ulysse sur son radeau. La colère redouble en son cœur : il prend son trident, démonte[3] la mer, déchaîne les ouragans et recouvre la terre et les eaux d'épais nuages. Une nuit sombre descend soudain du ciel ; tous les vents s'abattent en même temps et soulèvent
10 d'énormes vagues.

Ulysse alors, sentant ses genoux et son cœur faiblir, s'écria en gémissant :

– Malheureux que je suis ! que vais-je devenir ? Je crains bien que la déesse Calypso ne m'ait dit la vérité quand elle
15 m'a annoncé qu'avant de revoir ma patrie je souffrirais sur mer de nouveaux malheurs. Maintenant je sens que tout s'accomplit : Zeus a obscurci le vaste ciel et a déchaîné une énorme tempête. J'aurais dû mourir au combat sous les coups des Troyens ; j'aurais alors eu des funérailles et tous

---

1. Phéacie : pays imaginaire, il s'agit sans doute de l'île de Corfou, au nord-ouest des côtes grecques.
2. Poséidon... Éthiopiens : voir texte 1, l. 15-16.
3. Démonte la mer : agite la mer.

20 les Achéens[4] auraient chanté mes louanges, tandis qu'aujourd'hui, je suis destiné à périr d'une mort honteuse !

À peine avait-il parlé qu'une vague immense s'abat sur lui et fait chavirer le radeau ; Ulysse lâche le gouvernail et tombe dans la mer ; le mât se brise en deux ; lui25même demeure un long moment sous l'eau. Alourdi par ses vêtements, il n'arrive pas à remonter à la surface.

Illustration par Olivier,
Tempête après qu'Ulysse
a quitté l'île de Calypso.
Gravure (1907).

4. **Les Achéens** : les Grecs.

29

Quand enfin il émergea, sa bouche recrachait l'eau salée qui ruisselait de sa tête. Malgré l'épuisement, il réussit à reprendre son radeau et s'y cramponna, se laissant dériver au gré des flots furieux.

Mais Ino aux belles chevilles l'aperçut : la déesse marine prit en pitié le héros, jeté à la dérive. Sous la forme d'une mouette, elle vint se poser au bord du radeau et dit :

– Malheureux, pourquoi Poséidon, le dieu qui fait trembler la terre, te poursuit-il de sa haine féroce ? Sois tranquille pourtant ; il ne peut causer ta perte malgré son désir. Quitte tes vêtements, laisse aller ton radeau et nage de toutes tes forces vers le rivage de Phéacie. Prends ce voile divin ; recouvres-en ta poitrine : avec lui tu ne craindras plus la souffrance ni la mort. Mais lorsque tu toucheras terre, détache-le, jette-le dans la mer couleur de vin et détourne la tête !

À ces mots, elle lui tendit le voile et, pareille à la mouette, elle replongea dans la vague d'écume. Le héros endurant restait à méditer, hésitant à lui faire confiance, quand soudain Poséidon soulève contre lui une vague immense, terrible, menaçante et haute comme une montagne. Son radeau se brisa, les longues poutres en bois s'éparpillèrent sur les flots, comme de la paille que le vent emporte. Ulysse alors monta à califourchon sur une poutre, comme sur un cheval de course ; il enleva les vêtements que lui avait donnés Calypso la divine, puis il s'enveloppa dans le voile et se jeta à la mer.

Durant deux jours et deux nuits, Ulysse dériva sur la vague : que de fois il crut sa mort certaine ! Mais quand,

au troisième jour, parut l'Aurore aux belles boucles[5], soudain le vent tomba, le calme revint et il put apercevoir la terre toute proche. Il redoubla d'efforts et n'était plus très loin du bord quand il entendit le fracas des vagues
60 qui se brisaient contre les rochers ; l'écume jaillissait, il n'y avait aucun endroit où accoster, aucun abri ni refuge où poser le pied, mais partout des pics rocheux et des falaises. Ulysse sentit son courage l'abandonner et gémit en son cœur.

65 Alors Athéna, la déesse aux yeux pers, lui donna l'idée de s'agripper à un rocher de ses deux mains, et de laisser passer l'énorme vague sur sa tête. Il tint bon, mais le reflux[6] le frappa et l'emporta, comme une pieuvre arrachée à son repaire, des graviers collés aux mains, et il fut
70 rejeté au loin dans la mer... Le malheureux Ulysse aurait péri, s'il n'avait été encore une fois inspiré par la déesse : il longea la côte à la nage et arriva bientôt à l'embouchure d'un fleuve aux belles eaux courantes ; à sa prière, le dieu du fleuve arrêta son cours et permit à Ulysse d'atteindre
75 une plage. Épuisé, il se laissa rouler sur le sable ; tout son corps était meurtri, l'eau lui ruisselait de la bouche et du nez. Mais dès qu'il eut retrouvé son souffle, il détacha le voile qui fut emporté par la mer ; et Ino le reçut dans ses mains.

Extrait du chant V.

---

5. **Aurore aux belles boucles :** déesse de l'Aurore (le lever du jour).
6. **Reflux :** retour de la vague.

QUESTIONS SUR LE TEXTE 3

1 De quel lieu Ulysse est-il parti ? Dans quel pays arrive-t-il ?

2 **a.** Quel dieu met sa vie en danger ?

b. Quelle épreuve lui envoie-t-il ?

3 Quelles divinités lui viennent en aide ?

Le parcours d'Ulysse : l'aventure sur mer

....

4 **a.** Combien de jours se sont écoulés entre le moment où Ulysse a quitté Calypso et celui où il arrive en vue des côtes phéaciennes (l. 1-2) ?

b. Quelle est la durée de la tempête (l. 54 à 58) ?

5 Le champ lexical

> Un **champ lexical** est un ensemble de termes qui se rapportent à un même thème. Ex. : champ lexical de la nuit = *noire, lune, obscur...*

Relevez le champ lexical de la tempête (l. 1 à 30).

6 **a.** Quelles actions Ulysse entreprend-il pour rester en vie ? De quelles qualités fait-il preuve ?

b. Ulysse se comporte-t-il toujours en héros ? Montrez qu'il est aussi un homme avec ses émotions et ses faiblesses.

Le récit épique

....

— **Le merveilleux : l'intervention des dieux**

> Les dieux interviennent dans la vie des mortels sous la forme d'une force naturelle (tempête) ou d'un être vivant ; ils peuvent aussi leur inspirer des idées ou des rêves.

CARNET DE LECTURE

7 Montrez que Poséidon s'acharne contre Ulysse en relevant les verbes d'action dont il est le sujet (l. 4 à 8).

8 **a.** Par quels différents moyens les déesses viennent-elles au secours d'Ulysse ?

b. Quelle forme l'une d'elles revêt-elle ?

— **Les épithètes homériques**

9 **a.** Relevez les épithètes homériques qui caractérisent :
– les divinités (Athéna, Aurore, Ino, Poséidon, Calypso) ;
– les éléments naturels (la mer, le fleuve).

b. Sont-elles toutes valorisantes ?

— **Les comparaisons poétiques**

10 À quoi les poutres du radeau d'Ulysse sont-elles successivement comparées (l. 44 à 53) ?

11 Pourquoi Ulysse est-il comparé à une pieuvre (l. 67 à 70) ?

12 L'amplification épique

> L'épopée amplifie (exagère) la réalité pour mettre en valeur le courage du héros.

Relevez la comparaison qui décrit la vague (l. 44 à 48). Quel aspect est exagéré ? Pourquoi ?

J'ÉTUDIE LA LANGUE

Vocabulaire : les préfixes

> Le **préfixe** se place **devant le radical** d'un mot : il **modifie le sens** du mot radical mais non sa classe grammaticale.

13 « Quand enfin il émergea » (l. 27) : le verbe latin *mergere* signifie « plonger » ; le préfixe *e-/ex-*, d'origine latine également, a pour sens « en dehors ». Déduisez-en le sens du verbe « émerger ».

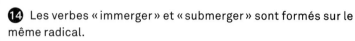

14 Les verbes « immerger » et « submerger » sont formés sur le même radical.

a. Identifiez leurs préfixes. Que signifie chacun d'eux ?

b. Utilisez chacun de ces verbes dans une phrase de votre composition.

J'ÉCRIS

Rédiger la description d'une tempête

15 Faites la description d'une tempête ou d'un violent orage auquel vous avez assisté ou que vous imaginez (à partir d'une lecture, d'un film ou d'un reportage...).

> CONSIGNES D'ÉCRITURE
> • Vous pouvez choisir le phénomène et le lieu qui vous inspirent le plus : tempête de vent, de sable ou de neige, orage en ville, à la mer ou à la montagne.
> • Vous pourrez utiliser le vocabulaire rencontré dans le texte si vous situez la tempête en mer.
> • Vous amplifierez la réalité.

LE SAVIEZ-VOUS ?

Les funérailles dans l'Antiquité grecque

« J'aurais dû mourir au combat sous les coups des Troyens ; j'aurais eu alors une sépulture et tous les Achéens auraient chanté mes louanges. Tandis qu'aujourd'hui, je suis destiné à périr d'une mort honteuse ! » (l. 18 à 21).

Si Ulysse se noie dans la mer, non seulement sa mort n'aura rien d'héroïque, mais sa famille ou ses proches ne pourront respecter les rites religieux et le mettre au tombeau. Et dans la Grèce antique, ces rites sont essentiels pour garantir aux morts leur passage aux Enfers ; sinon ils errent éternellement entre le monde des vivants et celui des morts, sans trouver de repos.

Voici comment se déroulaient les funérailles, qui se faisaient par inhumation (corps enterré dans un cercueil) ou incinération (corps brûlé sur un bûcher et cendres recueillies dans une urne). Tout d'abord les proches font la toilette du défunt, puis le déposent sur un lit d'apparat, après l'avoir vêtu de blanc et recouvert d'un drap blanc ou linceul ; on dépose ensuite dans sa bouche une obole (pièce de monnaie) pour qu'il paie son passage à Charon, celui qui fait traverser le fleuve des Enfers aux morts. La famille et les amis expriment bruyamment leur douleur, se coupent une mèche de cheveux et la jettent sur le corps ; on fait même appel à des pleureuses officielles, on prononce un éloge funèbre. Puis, un cortège se forme pour accompagner le mort jusqu'à son tombeau : des sacrifices et des offrandes ont lieu. Enfin, dans la maison du défunt ou d'un proche, les participants se réunissent pour un banquet en son honneur.

« Je suis la fille du fier Alcinoos »

Ulysse, reprenant son souffle, se dit qu'il lui faut trouver un endroit où se protéger du froid. Non loin du fleuve, il aperçoit un lieu ombragé où avaient poussé quelques oliviers sauvages. Il s'y rend, s'aménage un lit de feuilles mortes et s'endort paisiblement.

L'île où il avait échoué appartenait aux Phéaciens ; Alcinoos était leur roi ; il avait une fille, Nausicaa. Au cours de la nuit, Athéna apparaît à Nausicaa, sous la forme d'une de ses meilleures amies : elle lui conseille d'aller laver le linge au bord du fleuve (laver les vêtements était alors une occupation fort agréable à laquelle s'adonnaient les filles de roi).

À son réveil, Nausicaa, troublée par cette apparition, demande à son père de préparer un chariot tiré par des mules ; sa mère lui donne des provisions et un flacon d'huile parfumée pour qu'elle et ses suivantes[1] s'en frottent après le bain.

Nausicaa prit les rênes brillantes et fit claquer le fouet : les deux mules s'élancèrent en avant, et emportèrent la jeune fille dans un grand bruit de sabots ; ses suivantes l'accompagnaient à pied.

5 Bientôt, on atteignit le fleuve aux belles eaux courantes. Des lavoirs étaient là, remplis en toute saison d'une eau claire et limpide. On détela les mules qui allèrent brouter l'herbe à la douceur de miel ; et les jeunes filles portèrent

---

1. Suivantes : jeunes filles au service d'une princesse ou d'une grande dame.

le linge de la princesse jusqu'au fleuve. Elles le plongèrent
10 dans l'eau pour le fouler[2] avec ardeur ; puis elles éten-
dirent les riches étoffes sur les galets de la plage. Quand ce
fut terminé, elles se baignèrent et se parfumèrent d'une
huile fine. Et tandis que les beaux vêtements séchaient au
clair soleil, elles prirent leur repas sur les rives du fleuve ;
15 puis suivantes et maîtresse dénouèrent leurs voiles pour
jouer au ballon.

Au milieu d'elles, Nausicaa aux bras blancs menait le
jeu. Elle était semblable à Artémis, la déesse à l'arc, quand
elle parcourt la montagne à la poursuite des biches et
20 des sangliers, suivie de ses nymphes : on reconnaît sans
peine la déesse, car c'est la plus belle entre les belles ; ainsi
Nausicaa brillait-elle parmi ses suivantes.

Comme l'heure approchait de plier les splendides vêtements et de rentrer au palais, Athéna, la déesse aux yeux
25 pers[3], décida de réveiller Ulysse pour qu'il rencontre la
jeune princesse. C'était à Nausicaa de lancer la balle, mais
elle manqua son but et la balle tomba dans les tourbillons
du fleuve. Les jeunes filles poussèrent alors de grands cris.
Réveillé en sursaut, le sage Ulysse se demandait s'il était
30 arrivé chez des êtres sauvages ou civilisés ; il finit par décider de les aborder.

Et le divin Ulysse sortit des broussailles, cachant sa
nudité sous un rameau feuillu ; il s'avançait tel un lion
des montagnes[4], sûr de sa force, qui brave les pluies et

---

2. **Fouler :** presser vivement le linge avec les mains pour le laver.
3. **Pers :** voir note 8 p. 13 (Texte 1).
4. **Lion des montagnes :** le lion était présent en Europe du sud jusqu'au Ier siècle après J.-C.

35 les vents ; les yeux étincelants, il attaque les brebis et les
cerfs, poussé par la faim. C'est ainsi qu'il marcha tout nu
vers les jeunes filles aux belles boucles. Mais quand elles
voient le spectacle effrayant de son corps abîmé par l'eau
salée, elles s'enfuient jusqu'au rivage. Il ne reste que la fille
40 d'Alcinoos, debout face à lui : c'était Athéna qui avait mis
ce courage en son cœur. Le héros réfléchissait : allait-il
supplier cette charmante jeune fille en lui enlaçant les
genoux[5], ou rester à distance en lui adressant de douces
prières ? Le prudent Ulysse jugea préférable de ne pas
45 s'approcher et lui adressa ces paroles habiles :

– Je suis à tes genoux, ma reine ! que tu sois déesse ou
mortelle ! Si tu es une déesse, tu dois être Artémis, la fille
du grand Zeus ; car tu lui ressembles par l'allure et la
beauté. Et si tu es une mortelle, trois fois heureux ton père
50 et ta noble mère lorsqu'ils te voient entrer si gracieuse
et si belle dans la danse ! Mais le plus heureux de tous,
ce sera le jeune fiancé qui te mènera en sa demeure.
Aujourd'hui je t'admire, jeune fille, mais je tremble ; j'ai
peur de prendre tes genoux. Vois mon cruel chagrin : hier
55 seulement, après vingt jours de souffrances, j'ai pu échapper à la fureur de la mer couleur de vin ; maintenant un
dieu m'a jeté sur ce rivage, où je vais peut-être rencontrer
de nouvelles épreuves... Combien de malheurs le destin
me réserve-t-il encore ? Aie pitié de moi, reine ! Tu es la
60 première que j'ai rencontrée ici, je ne connais personne
d'autre. Indique-moi le chemin de la cité, je t'en prie ;

---

5. En lui enlaçant les genoux : le suppliant doit entourer les genoux et toucher le menton
de celui qu'il implore.

donne-moi un lambeau de tissu pour me couvrir. Que les dieux en échange comblent tes désirs et t'accordent le meilleur des époux !

65   Nausicaa aux bras blancs lui répondit ainsi :

– Tu sais bien, étranger, – car tu n'as pas l'air d'un fou – que Zeus l'Olympien répartit le bonheur à tout un chacun selon son bon plaisir ; s'il t'a donné ces malheurs, tu dois accepter ton sort. Mais puisque tu es arrivé en 70 notre pays, tu ne manqueras ni de vêtements ni de tout ce qu'il convient de donner à un pauvre suppliant. Je vais te guider jusqu'à notre ville et te dire le nom de notre peuple : nous sommes les Phéaciens, et moi, je suis la fille du fier Alcinoos qui les gouverne.

Extrait du chant VI.

39

QUESTIONS SUR LE TEXTE 4

AI-JE BIEN LU ?

1 Dans quel lieu Ulysse est-il arrivé ?

2 Qui est Nausicaa ?

3 Dans quelles circonstances Ulysse la rencontre-t-il ?

4 Quel service Ulysse demande-t-il à Nausicaa ? Lui vient-elle en aide ?

J'ANALYSE LE TEXTE

Le parcours d'Ulysse : la rencontre avec Nausicaa

5 À quelles activités Nausicaa et ses servantes se livrent-elles (l. 1 à 16) ?

6 Décrivez Nausicaa. Comment se comporte-t-elle avec ses suivantes ?

7 a. Dans quel état Ulysse se trouve-t-il lorsqu'il rencontre Nausicaa ?

b. Quelles sont les réactions des servantes ? Et de Nausicaa ?

8 Montrez que les paroles d'Ulysse sont vraiment habiles en relevant :

– les compliments qu'il fait à Nausicaa ;

– les expressions suscitant la pitié ;

– les souhaits qu'il formule pour elle.

Le récit épique : les dieux dans l'épopée

9 De quelle façon la déesse Athéna est-elle intervenue pour permettre la rencontre entre Ulysse et Nausicaa ? Reportez-vous au hors-texte.

10 Ulysse et Nausicaa acceptent-ils le destin voulu par les dieux ? Citez le texte (l. 66 à 74).

Les épithètes homériques

....

11 Classez les épithètes homériques qui caractérisent les personnages et celles qui caractérisent les éléments naturels (l. 1 à 16), selon leur classe grammaticale (groupe nominal, adjectif) et leur fonction (complément du nom, apposition, épithète) :

Personnages et éléments	Épithètes homériques	Classes grammaticales	Fonctions
Nausicaa	aux bras blancs		
Artémis		GN	
Athéna			apposition
Ulysse	prudent		
le fleuve			compl. du nom
une eau		adjectif	
l'herbe	à la douceur de miel		
une huile			épithète
au ... soleil	clair		

Les comparaisons poétiques

....

12 Relevez la comparaison qui valorise la beauté de Nausicaa (l. 17 à 22). À qui est-elle comparée ?

13 Relevez la comparaison des lignes 33 à 36. Quelle image donne-t-elle d'Ulysse ?

J'ÉCRIS

Écrire au style direct

14 Nausicaa conduit Ulysse au palais de son père et lui présente le héros. Imaginez les paroles qu'elle prononce.

> CONSIGNES D'ÉCRITURE
> • Vous rédigerez les paroles de Nausicaa au style direct.
> • Elle évoquera d'abord sa rencontre avec Ulysse.
> • Elle tentera ensuite de convaincre son père d'accueillir et aider Ulysse.

POUR ALLER PLUS LOIN

Le palais d'Alkinoos

Ulysse allait entrer dans la noble demeure du roi Alkinoos ; il fit halte un instant. Que de trouble en son cœur, devant le seuil de bronze ! car, sous les hauts plafonds du fier Alkinoos, c'était comme un éclat de soleil et de lune ! Du seuil jusques au fond, deux murailles de bronze[1] s'en allaient, déroulant leur frise d'émail bleu. Des portes d'or s'ouvraient dans l'épaisse muraille : les montants[2], sur le seuil de bronze, étaient d'argent ; sous le linteau[3] d'argent, le corbeau[4] était d'or, et les deux chiens[4] du bas, que l'art le plus adroit d'Héphaïstos avait faits pour garder la maison du fier Alkinoos, étaient d'or et d'argent. [...]

Homère, L'*Odyssée*, chant VII, traduit par Victor Bérard.

15 **a.** Citez les métaux et objets précieux qui décorent le palais.
b. Relevez une comparaison.
c. Quel est l'effet produit par cette description ?

---

1. Bronze : alliage de deux métaux, cuivre et étain. – **2. Montants :** encadrements verticaux des portes. – **3. Linteau :** poutre de bois ou métal, qui ferme le haut des portes. – **4. Corbeau, chiens :** animaux ciselés décorant la porte. – **5. Arpents :** ancienne mesure agraire.

« Je suis Ulysse, le fils de Laërte »

Ulysse se rend à la ville et, guidé par Athéna, il est reçu avec bienveillance par le roi et la reine des Phéaciens. Sans révéler son identité, il raconte les épreuves qu'il a subies depuis qu'il a quitté Calypso. Alcinoos lui promet un navire pour l'aider à rentrer chez lui et organise le lendemain un festin en son honneur. Au cours du banquet, un aède[1], Démodocos, commence à raconter une querelle qui eut lieu entre Ulysse et Achille lors de la guerre de Troie. Ulysse ne peut cacher son émotion. Puis des jeux sont organisés.

Ce fut d'abord l'épreuve de la course : tous ensemble, les jeunes Phéaciens s'élancèrent sur la piste dans un nuage de poussière. L'un d'eux, Clytoneus, l'emporta haut-la-main. Puis ce fut le tour de la lutte et la victoire d'Euryale ;
5 et, après le saut et le disque, Laodamas, le vaillant fils d'Alcinoos, triompha à la boxe. Il alla inviter Ulysse :

– À ton tour, étranger, viens t'essayer aux jeux, tu dois bien en connaître ! Car il n'est pas de plus grande gloire que de remporter une victoire avec ses bras et ses jambes !
10 Allons, viens concourir avec nous et oublie tes chagrins. Ton départ est proche, le navire est à quai.

Le prudent Ulysse lui répondit :

– Pourquoi me lancer ce défi, Laodamas ? Si mon cœur est empli de chagrin, c'est que j'ai trop souffert et trop
15 peiné, et qu'il ne me reste plus qu'une idée en tête : le retour au pays.

---

1. Aède : poète et chanteur (Homère était un aède).

43

Alors Euryale se moqua :

– Ah non ! Je ne vois rien, mais rien en toi d'un athlète !
Tu devais sans doute naviguer sur un navire marchand, à
20 compter tes bénéfices et tes marchandises volées !

Ulysse lui lança un regard menaçant et répliqua :

– Quelle insolence ! Les dieux n'accordent jamais toutes
les qualités au même homme. Il est bien vrai qu'ils t'ont
donné la beauté mais ton esprit est vide ! Eh bien ! Puisque
25 tu me défies par tes insultes, je vais te montrer quel cham-
pion j'étais dans ma jeunesse.

À ces mots, il s'empare d'un disque plus large et plus
lourd que ceux dont les Phéaciens s'étaient servis. Il le fait
tournoyer et le lance d'une main vigoureuse. Le disque
30 vole en sifflant au-dessus des têtes et passe au-delà des
autres marques. Athéna, qui avait pris l'aspect d'un
homme, vint en marquer l'arrêt et cria :

– Bravo pour ce coup-là ! Personne n'est capable d'aller
plus loin.

35 – Venez vous mesurer à moi, s'écria Ulysse, si le cœur
vous en dit ! Je puis tenir ma place à tous les jeux des
héros, boxe, lutte, course, mais c'est à l'arc en bois fin que
j'excelle.

Tous se taisaient, et Alcinoos apaisa les esprits en invi-
40 tant l'aède Démodocos à chanter.

*La fête se poursuit par un spectacle de danse. La journée touche à
sa fin ; Alcinoos et les princes phéaciens offrent à Ulysse, leur hôte,
des cadeaux somptueux. Puis Alcinoos demande aux servantes de
donner un bain à Ulysse, suivant ainsi les règles de l'hospitalité.*

Les suivantes baignèrent Ulysse, le frottèrent d'huile puis le vêtirent d'un beau manteau et d'une tunique. Il allait retrouver les convives lorsqu'il se trouva face à la belle Nausicaa, qui se tenait debout près de la porte. Elle
45 regarda Ulysse dans les yeux et dit ces mots ailés :

– Je te salue, étranger ! Lorsque tu seras de retour dans ta patrie, ne m'oublie pas, car c'est moi la première qui t'ai sauvé la vie.

Ulysse aux mille ruses lui répondit :

50 – Nausicaa, si Zeus au bruyant tonnerre m'accorde de rentrer chez moi et de voir le jour de mon retour, alors, là-bas, je t'adresserai des prières, comme à une déesse, tous les jours d'une vie que je te dois, jeune fille.

Il dit cela et s'en alla reprendre sa place auprès d'Alci-
55 noos.

On ramena l'aède Démodocos. Ulysse se tourna vers lui :

– Démodocos, raconte-nous l'histoire du cheval de bois et comment le rusé Ulysse a introduit ce piège dans la ville de Troie.

60 L'aède commença alors son récit au moment où, après dix ans de guerre, les Achéens avaient mis un terrible plan à exécution. Ils avaient fait semblant de quitter leur campement, avaient même incendié leurs tentes et s'étaient embarqués sur leurs vaisseaux, comme s'ils ne
65 croyaient plus à la victoire. Mais quelques chefs grecs, sous la conduite du glorieux Ulysse, étaient restés cachés dans le ventre du cheval de bois que les Troyens avaient tiré à l'intérieur de la ville : les malheureux croyaient à un cadeau des dieux !

70 Démodocos chanta comment les Achéens jaillirent du cheval au milieu de la nuit et pillèrent la ville ; il chanta aussi les vaillants combats que le glorieux Ulysse, tel le dieu Arès[2], avait menés cette nuit-là, avec l'aide de la généreuse Athéna.

75 En l'entendant, Ulysse faiblissait ; les larmes inondaient ses joues sous ses paupières. Il put dissimuler ses pleurs à toute l'assistance ; seul Alcinoos les remarqua. Comme il l'entendit sangloter, il demanda à l'aède de ne pas poursuivre son récit. Et, contrarié de voir son hôte si malheu-
80 reux, il lui dit :

– Dis-nous pourquoi tu pleures quand tu entends chanter les malheurs des Achéens et des Troyens. As-tu perdu devant Troie un parent proche ou bien un ami cher ?

Ulysse, l'homme aux mille tours, lui répondit alors :

85 – Puissant Alcinoos, je vais d'abord te dire mon nom : je suis Ulysse, le fils de Laërte, dont le monde entier chante les ruses et les exploits. Ma demeure est à Ithaque, une île ombragée de forêts et chère à mon cœur. La divine Calypso m'a retenu près d'elle, au creux de ses cavernes
90 pour que je devienne son époux ; mais jamais mon cœur n'y a consenti car rien n'est plus doux que de retrouver sa patrie et sa famille. Eh bien ! puisque tu me le demandes, je vais te raconter le terrible retour que Zeus m'a infligé depuis que j'ai quitté Troie.

Extrait des chants VIII et IX.

---

2. Arès : dieu de la guerre (Mars chez les Romains).

AI-JE BIEN LU ?

1 Dans quel pays et dans quel lieu la scène se déroule-t-elle ?

2 Quels jeux sont organisés ? Par qui ? En l'honneur de qui ?

3 Quels personnages provoquent Ulysse ? Comment le héros réagit-il ?

4 Qui est Démodocos ? Quel épisode de la guerre de Troie raconte-t-il ?

5 Pourquoi Ulysse pleure-t-il?

J'ANALYSE LE TEXTE

Le parcours d'Ulysse : Ulysse et les Phéaciens

6 a. Quelles paroles blessantes Euryale adresse-t-il à Ulysse ?
b. Comment la colère d'Ulysse se manifeste-t-elle dans son expression et ses paroles ?

7 a. Quel rôle le roi Alcinoos joue-t-il dans la querelle (l. 39-40) ?
b. Quelle demande fait-il à Ulysse à la fin de l'extrait ? Pourquoi ?

8 a. Pourquoi Nausicaa aborde-t-elle Ulysse ? Que cherche-t-elle à lui dire (l. 46 à 48) ?
b. Quelle réponse Ulysse lui fait-il (l. 50 à 53) ?

Ulysse, un héros épique

9 a. Quel exploit Ulysse accomplit-il aux jeux ? Quels termes montrent sa supériorité sur les jeunes Phéaciens (l. 27 à 34) ?
b. De quelle façon Athéna intervient-elle auprès d'Ulysse ?

10 Quelle image l'aède Démodocos donne-t-il d'Ulysse dans son récit (l. 65 à 74) ?

11 a. Quelles qualités Ulysse revendique-t-il en révélant son identité (l. 85 à 94) ?
b. Quel récit Ulysse s'apprête-t-il à faire aux Phéaciens ?

Vocabulaire : autour du mot « hôte »

Le mot latin *hospes, hospitis* signifie « hôte ».

12 **a.** Cherchez dans un dictionnaire les deux sens du mot « hôte ».

b. D'où vient l'accent circonflexe sur la voyelle ?

c. Quel est le sens du mot « hospitalité » ?

13 Complétez ces phrases avec des mots de la famille du mot « hôte » :

a. Ce blessé a été conduit aux urgences d'un ...

b. Pour devenir cuisinier, tu dois t'inscrire dans un lycée ...

c. Le personnel ... se compose de chirurgiens et d'infirmières.

d. Cet été nous irons en vacances dans un ... au bord de la mer.

Écrire un récit et exprimer des émotions

14 Vous avez participé à un concours, une compétition ou un spectacle. Racontez son déroulement en évoquant vos réactions et sentiments (trac, stress, espoir, joie ou déception, jalousie...).

CONSIGNES D'ÉCRITURE
• Utilisez le vocabulaire spécifique à l'épreuve.
• Faites le récit aux temps du passé (passé simple ou passé composé, imparfait).
• Utilisez les types de phrases adaptés à la situation et à vos émotions.

CARNET DE LECTURE

LE SAVIEZ-VOUS ?

L'hospitalité dans le monde d'Homère

L'hospitalité est un devoir sacré. L'étranger qui se présente est toujours accueilli comme un envoyé des dieux : il est placé sous la protection de Zeus Xénios (protecteur des étrangers).

Avant de lui poser la moindre question, on doit lui offrir un bain ou au moins laver ses pieds salis par la route, et lui servir un repas. Celui qui accueille doit non seulement se montrer généreux, mais également courtois : il faut éviter de déplaire à son hôte, l'honorer par des fêtes et des jeux, des chants et des danses. Et pour finir, il faut lui donner des cadeaux magnifiques. Dans l'*Odyssée*, Alcinoos se comporte en hôte idéal.

Le respect de ces règles crée des liens étroits entre celui qui reçoit et celui qui est reçu, et le terme d'« hôte », employé dans les deux cas, implique la réciprocité : celui qui reçoit devra à son tour être reçu par son hôte avec les mêmes attentions et la même politesse. Ce lien se transmet aux enfants de chacun et s'entretient par des échanges de dons et services.

En temps de guerre, ce lien empêche deux hommes de se battre, même s'ils sont dans des camps ennemis : c'est ce qui arrive dans l'*Iliade* (l'autre épopée d'Homère) entre le roi achéen Diomède, et Glaucos, qui combat aux côtés des Troyens.

TEXTE 6 ULYSSE RENCONTRE LE CYCLOPE POLYPHÈME

« Un monstre horrible vivait là »

Ulysse raconte comment, en quittant Troie, il fut jeté sur la côte des Cicones (voir carte p. 9) qui tuèrent une partie de ses hommes. Puis la tempête les emmena chez les Lotophages, les mangeurs de lotus, une plante magique qui donne l'oubli du retour : plusieurs de ses compagnons y goûtèrent. Ulysse dut les entraîner de force vers les navires. L'équipage arrive ensuite au pays des Cyclopes, géants monstrueux qui n'ont qu'un œil au milieu du front.

Nous arrivons au pays des Cyclopes. Ces géants sans foi ni loi ne connaissent aucune règle ; ils ne travaillent pas la terre, ne craignent pas les dieux, ne tiennent jamais d'assemblée pour délibérer[1] ou rendre la justice. Ils
5 habitent au sommet des hautes montagnes, en des grottes profondes, et chacun agit selon son bon plaisir, sans s'occuper des autres.

À proximité de leur terre, il y a une île boisée où vivent des chèvres sauvages ; c'est là que nous amarrons nos vais-
10 seaux[2] pour y passer la nuit.

Aussitôt qu'apparaît, au petit matin, l'Aurore aux doigts de rose, je réunis mes compagnons et leur dis :

– Mes amis, la plus grande partie de notre flotte[3] va demeurer ici ; moi, je vais partir seul, avec mon bateau et

---

1. Délibérer : discuter avant de prendre une décision.
2. Nous amarrons nos vaisseaux : nous attachons nos navires.
3. Notre flotte : nos bateaux.

15 quelques-uns d'entre vous, pour voir qui sont vraiment les habitants de ce pays : des bandits sans justice, des sauvages ou un peuple accueillant qui respecte les dieux ?

Nous embarquons donc et larguons les amarres[4]. Mes compagnons vont s'asseoir sur les bancs[5], chacun à sa place,
20 et frappent de leur rame les flots blanchis par l'écume.

Nous eûmes vite atteint l'endroit et nous aperçûmes, dominant la mer, une haute caverne, ombragée de lauriers. Elle servait d'étable à de nombreux troupeaux de brebis et de chèvres : au-devant, une grande cour était entourée de
25 gros blocs de pierres, de chênes feuillus et de pins élancés.

Un monstre horrible vivait là, seul avec ses troupeaux ; il n'avait rien d'un homme mangeur de pain[6] ; il ressemblait plutôt à un immense pic boisé s'élevant au-dessus des montagnes.

30 Je débarque et j'ordonne à mon brave équipage de rester auprès du vaisseau pour le garder. Moi, je pars avec douze de mes plus vaillants compagnons, et je prends avec moi une outre de peau de chèvre[7] emplie d'un vin rouge parfumé, aussi doux que le miel, qu'un prêtre d'Apollon,
35 du pays des Cicones, m'avait offert pour l'avoir épargné, lui et sa famille.

Bientôt, nous arrivons à la caverne, mais le Cyclope n'était pas chez lui ; il était parti faire paître ses gras troupeaux.

---

4. Larguons les amarres : détachons les cordages pour partir.
5. Bancs : il s'agit des bancs où sont assis les rameurs.
6. Un homme mangeur de pain : c'est-à-dire un homme civilisé qui cultive la terre, par opposition aux Cyclopes qui représentent l'humanité sauvage.
7. Une outre de peau de chèvre : peau de chèvre cousue en forme de sac.

40   Nous entrons dans la grotte et l'examinons en détail. Des paniers étaient chargés de fromages ; les étables étaient remplies d'agnelets et de chevreaux tous séparés, selon leur âge, dans des enclos distincts : d'un côté les bêtes les plus âgées, d'un autre les plus jeunes, d'un autre les

45 nouveau-nés. Nous y trouvons encore, rangés en ordre, des vases et des seaux qui lui servaient à traire, pleins de lait jusqu'à ras bord.

    Mes compagnons me demandent de les laisser prendre les fromages, les agneaux, les chevreaux, de vider les

50 enclos et de nous en aller en courant, au bateau, retrouver l'onde amère[8]. Je refusai ; ah ! qu'il eût mieux valu !... Mais je voulais voir ce fameux Cyclope et savoir s'il nous ferait les présents de l'hospitalité[9]. Hélas, son apparition ne fut guère réjouissante...

55   Nous restons donc, nous faisons du feu, nous tuons une bête pour l'offrir en sacrifice aux dieux ; nous en prenons une part, puis nous nous servons de fromages, en attendant le Cyclope.

    Le voici qui revient, ramenant son troupeau : il porte

60 à pleine charge un tas de branches mortes, pour le feu du souper ; sous la voûte, il les jette avec un tel fracas qu'affolés, nous nous blottissons au fond de la caverne. Il fait alors entrer dans cette vaste salle tout le troupeau dodu des femelles à traire ; mais il laisse au dehors, dans

65 le creux de la cour, les boucs et les béliers. Puis il ferme l'entrée avec un gros rocher qu'il lève et met debout :

---

8. L'onde amère : la mer au goût de sel.
9. Les présents de l'hospitalité : en Grèce, on offrait des cadeaux à ses hôtes (*cf.* p. 49).

vingt-deux solides chariots n'auraient pu faire bouger cette pierre !

70 Il s'assied et se met à traire tout son troupeau bêlant de brebis et de chèvres, puis il place un petit sous le pis de chaque mère. Il fait ensuite cailler une moitié de lait blanc, qu'il égoutte et dépose dans ses paniers d'osier ; et il garde le reste dans des vases pour le boire à son repas du soir. Ce travail achevé – et ce ne fut pas long –, il ranime le

75 feu ; c'est alors qu'il nous voit et nous demande :

– Étrangers, qui êtes-vous ? D'où nous arrivez-vous par la route des mers ? Êtes-vous des marchands ou des pirates qui voguez sur les flots et risquez votre vie pour piller les côtes étrangères ?

80 Il disait. Nous sentions notre cœur éclater, sous la peur de ce monstre et de sa voix terrible[10]. Mais que faire ?... Je prends la parole et lui dis :

– Nous sommes Achéens[11]. Nous revenions de Troie, mais chassés par tous les vents du ciel, nous avons quitté

85 notre route et avons erré sur cet immense abîme de la mer. Nous voici maintenant chez toi, à tes genoux, espérant recevoir ton hospitalité, comme c'est l'usage. Crains les dieux, brave ami ; car nous venons à toi en suppliants ; Zeus l'Hospitalier défend le suppliant et l'étranger, il veut

90 qu'on le respecte.

Je disais, mais ce cœur sans pitié me répond :

– Tu fais l'enfant, mon hôte, ou tu nous viens de loin ! Tu veux que moi je craigne ou je respecte les dieux ! Sache

---

10. **Sa voix terrible :** le Cyclope se nomme Polyphème, « celui qui fait beaucoup de bruit ».
11. **Achéens :** Grecs.

que les Yeux Ronds[12] n'honorent ni Zeus, ni les autres
95   dieux : nous sommes les plus forts. Non ! je n'ai pas peur
de la colère de Zeus, et je ne vous épargnerai, toi et tes
compagnons, que si j'en ai envie. Mais dis-moi, où as-tu
laissé ton solide navire ? Est-ce au bout de l'île ou ici ? Je
voudrais savoir.

100   Il voulait m'éprouver, mais je ne tombai pas dans le
piège et lui racontai cette histoire :

– Mon navire est brisé : oui ! Poséidon, le dieu qui fait
trembler la terre, l'a fracassé sur les rochers, à l'extrémité
de votre île, où le vent du large nous a poussés. Seuls, mes
105   amis et moi avons sauvé nos têtes.

Je disais, et ce cœur sans pitié ne dit mot. Mais, s'élançant sur mes compagnons, mains ouvertes, il en prend
deux ensemble et, comme des petits chiens, il les assomme
contre terre : leurs cervelles coulaient sur la terre et
110   arrosaient le sol ; puis, membre à membre, ayant déchi-
queté leurs corps, il en fait son souper. Comme un lion
des montagnes, il ne laisse rien, ni entrailles, ni chair, ni
moelle, ni os. Nous autres, en pleurant, face à cette œuvre
d'horreur, nous tendions les mains vers Zeus ....

115   Quand enfin le Cyclope a rempli sa panse[13] de cette
chair humaine et bu du lait pur, il s'allonge au milieu de
ses bêtes dans la caverne.

Extrait du chant IX.

_____

12. **Les Yeux ronds :** nom donné aux Cyclopes.
13. **Panse :** ventre.

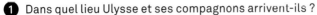

QUESTIONS SUR LE TEXTE 6

AI-JE BIEN LU ?

1 Dans quel lieu Ulysse et ses compagnons arrivent-ils ?

2 Qui sont les Cyclopes ?

3 Comment le Cyclope accueille-t-il Ulysse et ses compagnons ?

J'ANALYSE LE TEXTE

Le narrateur et la chronologie

> Ulysse, du chant IX au chant XII, se fait le narrateur de ses propres aventures.

4 a. Dans quelles circonstances et à qui Ulysse raconte-t-il ses aventures ?

b. À quelle personne mène-t-il le récit ?

c. Qui le pronom « nous » désigne-t-il (l. 1) ?

5 L'épisode du Cyclope se déroule-t-il avant ou après le séjour d'Ulysse chez Calypso ? À quel moment de son parcours par rapport à son départ de Troie ?

Le cadre

6 À quel endroit Ulysse amarre-t-il ses bateaux ?

7 Dans quel site le Cyclope habite-t-il ? Décrivez les lieux.

Le parcours d'Ulysse : la rencontre avec le Cyclope

— Le Cyclope Polyphème

8 Quelles sont les caractéristiques de vie des Cyclopes (l. 1 à 7) ?

9 a. Relevez les termes qui désignent et caractérisent le Cyclope Polyphème (l. 26, 81, 91, 94, 102-103 et 106).

55

b. À quoi est-il comparé (l. 27 à 29) ?

c. Quelle image est ainsi donnée de lui ?

d. Quelle comparaison témoigne de sa force (l. 67-68) ?

10 À quelles diverses activités le Cyclope se livre-t-il ?

11 Respecte-t-il la loi de l'hospitalité ? Craint-il Zeus ? Justifiez en citant le texte.

12 Comment Ulysse et ses compagnons réagissent-ils à la vue de ce monstre ?

— **Ulysse, le héros aux mille tours**

13 a. Pourquoi Ulysse décide-t-il de débarquer sur la terre des Cyclopes et pourquoi choisit-il de rester dans la grotte du monstre malgré l'avis de ses compagnons ?

b. Le regrette-t-il ? Citez une expression précise.

14 Ulysse part explorer l'île du Cyclope avec une partie de ses hommes (l. 30 à 36). Pourquoi ?

15 a. « Il voulait m'éprouver, mais je ne tombai pas dans le piège » (l. 100-101) : quel piège Ulysse évite-t-il ?

b. De quelle qualité fait-il preuve ?

Le récit épique

....

— **Les épithètes homériques (voir p. 18)**

16 Quelle déesse annonce l'arrivée du jour ? Relevez et expliquez l'épithète homérique qui la caractérise (l. 11-12).

— **La violence dans le récit épique**

> Le récit épique comporte des scènes de violence et multiplie les détails sanglants.

17 a. Relevez le champ lexical de la violence à la fin de l'extrait (l. 106 à 117).

b. À quels animaux les deux compagnons d'Ulysse puis le Cyclope sont-ils comparés ?

c. Comment Ulysse et ses compagnons réagissent-ils ?

J'ÉTUDIE LA LANGUE

Vocabulaire : autour du mot « cyclope »

⓲ Le mot « cyclope » vient du grec *kuklos*, « cercle » et *ôps*, « œil ». Il signifie « œil rond ». À partir des définitions, trouvez les mots construits à partir de la racine *cycl-* :

a. tourbillon de vent.

b. vélo à deux roues.

c. personne qui se déplace à vélo.

d. réintroduction de déchets dans le cycle de production.

e. ouvrage qui contient l'ensemble des connaissances universelles.

LE SAVIEZ-VOUS ?

La géographie de l'*Odyssée*

Les Grecs situaient le pays des Cyclopes en Sicile au pied de l'Etna. Plus tard, Victor Bérard (traducteur célèbre de l'œuvre d'Homère) le situe dans le golfe de Naples (voir carte p. 9), où les volcans eurent des périodes d'activité dans l'Antiquité. Les Cyclopes étaient en effet souvent assimilés à un volcan à « l'œil rond », car les Anciens imaginaient que ceux-ci s'activaient quand un volcan entrait en éruption. La petite île où Ulysse a amarré son bateau serait donc Nisida, face à laquelle se trouve Caprée (actuellement Capri), dont le nom indique la présence de chèvres (*capra* en latin signifie « chèvre »).

TEXTE 7 ULYSSE RUSE POUR ÉCHAPPER AU CYCLOPE

« Et qui me tue ? Personne ! »

C'est alors que je me mets à réfléchir : vais-je tirer mon épée à pointe qui pendait le long de ma cuisse et la lui planter au ventre, au-dessus du foie ?… Mais une autre pensée me retint : enfermés avec lui, nous aurions péri,
5 car l'énorme rocher dont le Cyclope avait bouché sa haute porte, jamais nos bras à nous n'auraient pu l'enlever.

En gémissant, nous attendons l'aube divine. Dans son berceau de brume, aussitôt que paraît l'Aurore aux doigts de rose, il ranime le feu, puis il trait ses bêtes magnifiques
10 et il place un petit sous le pis de chaque mère. Ce travail achevé – et ce ne fut pas long –, il prend encore deux de mes gens[1] pour déjeuner et, quand il a mangé, il fait sortir de la grotte toutes ses bêtes grasses. Sans effort, il avait ôté le grand portail que, vite, il replaça. Puis, criant et sifflant, il
15 emmène ses gras moutons vers la montagne.

Je ruminais dans mon cœur des projets de vengeance ; or voici celui que je crus le plus sage.

Le Cyclope avait laissé là une énorme massue : c'était un olivier qu'il avait coupé vert pour le faire sécher. Lorsque
20 nous l'avions vu, nous l'avions comparé au mât d'un noir vaisseau : c'était même longueur, à l'œil, même grosseur… Je me lève et je vais en couper la longueur d'une brasse[2], que je passe à mes compagnons pour qu'ils en ôtent l'écorce.

---

1. **Mes gens :** mes compagnons.
2. **Une brasse :** environ 1,60 mètre.

Quand ils l'ont bien poli, j'en taille la pointe ; je la mets à
25 durcir dans le feu que j'active ; je cache enfin ce pieu dans
la couche de fumier qui recouvrait tout le sol de la grande
caverne. Je fais alors tirer au sort ceux de mes compagnons
qui devront m'aider à le soulever pour le planter dans l'œil
du Cyclope, sitôt qu'il sera endormi. Le sort désigne ceux
30 que moi-même j'aurais pris ; ils étaient quatre, et moi,
j'étais le cinquième.

Tête de Polyphème,
fin de la période
hellénistique ou
romaine, marbre
de Thasos (Grèce),
IIᵉ siècle av. J.-C.
(Boston, musée
des Beaux-Arts).

Le Cyclope revient vers le soir, ramenant son troupeau à la fine toison. Il rentre ce jour-là toutes ses bêtes grasses dans la caverne et n'en laisse aucune dans la cour : avait-il
35 son idée ?... fut-ce l'ordre d'un dieu ?...

Il bouche l'entrée de la grotte avec son gros rocher qu'il lève et met debout ; il s'assied et se met à traire tout son troupeau bêlant de brebis et de chèvres, puis place un petit sous le pis de chaque mère. Ce travail achevé, – et ce
40 ne fut pas long –, il prend encore pour son souper deux de mes gens.

Alors je viens à lui, tout près, et je lui parle ; je tenais à deux mains une coupe de vin noir :

– Cyclope, bois un peu de vin sur les viandes humaines
45 que tu viens de manger : tu verras la boisson que nous avions à bord ! C'est celle que je voulais t'offrir, pensant que tu aurais pitié de nous et que tu nous aiderais à rentrer dans notre pays. Mais ta fureur n'a pas de bornes !

Prenant la coupe, il la vida ... Il en voulut avoir une
50 seconde fois :

– Donne-moi encore de ce merveilleux nectar, sois gentil ! et dis-moi maintenant, tout de suite, ton nom ! car je voudrais t'offrir, ô mon hôte, un présent qui va te réjouir.

55 Il dit et, de nouveau, je lui remplis la coupe de vin aux reflets de feu ; trois fois, j'apporte l'outre, et trois fois, comme un fou, il avale d'un trait !... Je vois bientôt que le vin lui monte à la tête. Alors, pour l'aborder, j'essaie des mots plus doux :

60   – Tu veux savoir mon nom le plus connu, Cyclope ? Je m'en vais te le dire ; mais tu me donneras le présent que tu m'as promis. C'est Personne, mon nom[3] : oui ! c'est ainsi que mon père et ma mère et tous mes compagnons m'ont surnommé.

65   Je disais ; mais ce cœur sans pitié me répond :

– Eh bien ! je mangerai Personne le dernier, après tous ses amis ; et voilà le présent que je te fais, mon cher hôte !

Il se renverse alors et tombe sur le dos... Bientôt nous voyons sa tête énorme s'incliner, et il sombra dans le
70 sommeil. Et dans son ivresse, il vomissait du vin et des morceaux de chair humaine...

Alors, moi, je pris le pieu et le mis chauffer sous le monceau des cendres ; j'encourageai mes compagnons de crainte que, saisis de terreur, ils ne m'abandonnent.

75   Quand le pieu d'olivier fut sur le point de flamber et se mit à briller d'une terrible lueur, je le tire du feu ; je l'apporte en courant ; mes compagnons, debout, m'entourent : un dieu leur donnait de l'audace. Ils soulèvent le pieu : dans le coin de son œil, ils en plantent la pointe.
80 Moi, pesant dessus de tout mon poids, je le fais tourner sur lui-même... Vous avez déjà vu des hommes percer une poutre de navire avec une vrille[4] et la faire tourner sur elle-même ! C'est ainsi que nous tournions dans son œil notre pointe de feu, et le sang bouillonnait : les
85 prunelles, les paupières et les sourcils sont calcinés ; le pieu d'olivier grésille dans son œil comme lorsque

---

3. **Personne :** «personne» , en grec, se dit *oudeïs*, proche de *Odusseus* (nom grec d'Ulysse).
4. **Vrille :** outil à percer le bois.

le maître bronzier[5] plonge dans l'eau froide une hache rougeoyante pour la durcir. Le Cyclope eut un cri de fauve. La roche retentit. Mais nous, épouvantés, nous
90 étions déjà loin.

Il s'arrache de l'œil le pieu trempé de sang. Il le rejette au loin, de ses mains en délire. Il appelle à grands cris ses voisins, les Cyclopes, qui habitent dans des cavernes alentour battues par le vent. Ils entendent son hurlement ;
95 de partout, ils s'empressent. Ils étaient là, debout, tout autour de la grotte, voulant savoir sa peine :

– Polyphème, pourquoi ces cris ?... pourquoi nous réveiller en pleine nuit divine ?... a-t-on pris tes agneaux ?... est-ce toi que l'on tue par la ruse ou la force ?

100 De sa plus grosse voix, Polyphème criait du fond de la caverne :

– La ruse, mes amis ! la ruse ! et non la force !... et qui me tue ? Personne !

Les autres, de répondre avec ces mots ailés :

105 – Personne ? c'est alors quelque mal qui te vient du grand Zeus, et nous n'y pouvons rien : invoque Poséidon, notre roi, notre père !

À ces mots, ils s'en vont, et je riais tout bas : c'est mon nom de Personne et mon perçant esprit[6] qui l'avaient
110 abusé[7] !

Gémissant, torturé de douleurs, le Cyclope, en tâtonnant des mains, était allé lever le rocher de la porte, puis

---

5. Bronzier : le bronzier fond le bronze afin de fabriquer des objets.
6. Mon nom de Personne et mon perçant esprit : jeu de mots fondé sur des sonorités proches (perçant / personne).
7. Abusé : trompé.

il s'était assis en travers de l'entrée, les deux mains éten-
dues pour nous prendre au passage, si nous voulions sortir
15 dans le flot des moutons : il me croyait sans doute assez
sot pour cela !... Je songeais au moyen de nous arracher à
la mort, imaginais mille ruses, car notre vie se jouait ; le
désastre était proche...

Et voici le projet que je crus le plus sage. Ses béliers
20 étaient là, des mâles bien nourris, à l'épaisse toison. Sans
bruit, je les attachai trois par trois avec des joncs flexibles
sur lesquels dormait ce monstre infernal. La bête du
milieu portait l'un de mes gens ; les deux autres servaient
à protéger la fuite de mes compagnons.

125 Il me restait, à moi, le bélier le plus fort. Je le prends
par les reins, puis, blotti sous son ventre, je m'agrippe à
pleines mains à sa toison merveilleuse.

Aussitôt qu'apparaît, dans son berceau de brume, l'Aurore aux doigts de rose, les boucs et les béliers courent
130 au pâturage ; mais les brebis qui n'avaient pas été traites,
bêlaient dans les enclos, les mamelles lourdes et endolo-
ries.

Secoué de douleurs cruelles, le Cyclope palpait, au
passage, le dos de chaque bête. Mais il ne devina pas, le
135 sot, que nous étions accrochés au ventre laineux.

Mon bélier fut le dernier à sortir. Il s'avançait, alourdi
de sa laine et de mes lourds soucis. Polyphème le tâte et,
de sa grosse voix :

– Doux bélier, qu'as-tu donc ?... te voilà le dernier à
140 sortir de la grotte ?... les autres t'ont laissé ?... D'ordinaire,
c'est toi qui, le premier de tous, t'en vas paître à grands

Illustration par Theodore Devilly (1818-1886), Ulysse s'échappe de la grotte du cyclope Polyphème accroché sous un bélier. Gravure (1842).

pas les tendres fleurs des prés ! et tu vas, le premier, au courant des rivières ! et le premier encore, tu t'empresses, le soir, de rentrer à l'étable !... Aujourd'hui te voilà le
145 dernier des derniers !... Est-ce l'œil de ton maître qui cause tes regrets ? cet œil, qu'un scélérat, avec ses compagnons infâmes, a crevé . ce Personne ! Ah ! si seulement tu pouvais parler et me dire où il est ! je lui briserais le crâne par terre, j'arroserais le sol de sa cervelle...

150   Il dit et, le lâchant, fait sortir le bélier.

    Dès que nous sommes un peu loin de la caverne et de la cour, je me dégage d'abord, puis je délie mes hommes, et nous regagnons à la hâte notre navire, en poussant devant nous les grasses brebis... Ah ! la joie de nos gens à
155 nous voir reparaître, échappés à la mort !... et les pleurs et les cris sur ceux qui ne sont plus !... Mais je défends que l'on pleure, j'ordonne qu'on embarque sans retard les

brebis à l'épaisse toison et que l'on reparte au plus tôt sur l'onde amère[8]. Mes gens sautent à bord et vont s'asseoir
160 aux bancs, chacun à sa place, et frappent de leur rame les flots blanchis par l'écume.

Quand nous sommes à portée de voix, je m'adresse au Cyclope en le narguant :

– Eh bien, Cyclope, croyais-tu avoir affaire à un lâche ?
165 Tu vas voir, tu n'as pas respecté les lois de l'hospitalité, tu as osé manger tes hôtes dans ta propre demeure ; tes crimes vont se retourner contre toi ; Zeus et les autres dieux vont te punir.

Sa rage redoubla en son cœur. Il arrache la cime d'une
170 grosse montagne et la lance au-devant du navire à la proue bleu marine. Il y eut un énorme remous et notre bateau fut projeté vers le rivage. Je saisis une longue perche pour le repousser vers le large et j'encourageai mes compagnons à ramer. Et, malgré leurs prières, je continuai à
175 injurier le Cyclope :

– Cyclope, si jamais un mortel veut connaître le malheur qui t'a privé de l'œil, dis-lui qui t'aveugla : c'est le fils de Laërte, oui ! le pilleur de Troie, l'homme d'Ithaque, Ulysse.
180 Je disais ; mais déjà, il faisait sa prière à Poséidon, en tendant les deux mains vers les astres du ciel :

– Ô maître de la terre, ô dieu à la chevelure bleu outre-mer, ô Poséidon, écoute ! S'il est vrai que je suis ton fils, fais pour moi que jamais il ne rentre au logis, cet Ulysse,

---

8. L'onde amère : la mer salée.

185 pilleur de villes ! ou du moins, si le sort lui permet de retrouver les siens, fais que ce soit au terme de longs malheurs, après avoir perdu tous ses compagnons, et qu'il trouve la ruine en arrivant chez lui.

À peine il avait dit : le dieu coiffé d'azur exauçait sa
190 prière. Et déjà le Cyclope a repris un rocher bien plus gros qu'il soulève. Il le fait tournoyer, le jette, en y mettant toute sa force. Le bloc rase la poupe[9] de notre bateau en risquant d'écraser le bout du gouvernail.

Nous regagnons l'île où nous avions laissé le gros de
195 notre flotte : nos tristes compagnons restaient à nous attendre. On aborde, on échoue le vaisseau sur le sable[10] ; on tire de la cale les moutons du Cyclope. Durant tout ce grand jour, jusqu'au soleil couchant, nous festoyons : nous avions du bon vin, des viandes en abondance ! Au coucher
200 du soleil, quand vient le crépuscule, nous nous étendons pour dormir sur la plage.

Mais sitôt qu'apparaît, dans son berceau de brume, l'Aurore aux doigts de rose, j'ordonne à tous mes compagnons d'embarquer sans retard et de larguer l'amarre[11].
205 Ils sautent à bord et vont s'asseoir aux bancs, chacun à sa place, et frappent de leur rame les flots blanchis par l'écume.

Nous reprenons la mer, le cœur triste, contents d'échapper à la mort mais pleurant les amis.

Extrait du chant IX.

---

9. Poupe : arrière d'un navire.
10. On échoue le vaisseau sur le sable : on conduit le vaisseau dans le sable, pour l'immobiliser.
11. Larguer l'amarre : détacher les cordages du navire pour partir.

AI-JE BIEN LU ?

1 Comment Ulysse réussit-il à endormir le Cyclope ? à l'aveugler ? à sortir de la grotte avec ses compagnons ?

2 Sous quel nom Ulysse se présente-t-il ?

3 Quelle malédiction le Cyclope lance-t-il contre Ulysse ?

J'ANALYSE LE TEXTE

Ulysse, le héros aux mille tours

4 a. Montrez, en citant le texte, qu'Ulysse réfléchit avant d'agir (l. 1-6, 16-17 et 111 à 119).

b. Pourquoi Ulysse ne tue-t-il pas tout de suite le Cyclope ?

5 Comment Ulysse joue-t-il sur les mots en prétendant s'appeler « Personne » ? Comment les autres Cyclopes comprennent-ils ce mot ? La ruse a-t-elle réussi ?

6 a. Dans quelles circonstances Ulysse fait-il preuve d'initiative et de courage ?

b. Quelle ruse témoigne de son habileté manuelle ?

7 Montrez qu'il se comporte comme un chef qui encourage et protège ses compagnons.

8 a. Quelle imprudence Ulysse commet-il ?

b. Par quelles paroles lancées au Cyclope Ulysse risque-t-il de mettre en danger ses compagnons une fois sur le bateau ?

Le parcours d'Ulysse

9 a. Qui est le père du Cyclope ?

b. Quelles paroles de malédiction le Cyclope lui adresse-t-il ?

c. La malédiction s'est-elle réalisée ?

d. Quelle est donc l'importance de l'épisode du Cyclope dans le parcours d'Ulysse ?

10 « En gémissant, nous attendons l'aube divine » (l. 7) : relevez les indications temporelles. Combien de temps s'écoule-t-il jusqu'au moment où Ulysse reprend la mer ?

11 Combien Ulysse a-t-il perdu de compagnons chez le Cyclope ? (Reportez-vous aussi au texte précédent.)

Le Cyclope

12 a. Comment le Cyclope se comporte-t-il avec ses bêtes ? Envers quel animal se montre-t-il même capable de tendresse ?
b. Comparez avec la façon dont il traite les hommes.

13 Quel présent d'hospitalité le Cyclope va-t-il faire à Ulysse (l. 51 à 67) ? De quelle façon se moque-t-il de lui ?

14 a. « Il vomissait du vin et des morceaux de chair humaine » (l. 70-71) : pourquoi peut-on penser que les Cyclopes sont des personnifications des volcans ?
b. Quelles actions témoignent de la force et de la violence du Cyclope ?

15 Dans cet épisode, est-ce la ruse ou la force qui l'a emporté ?

Le récit épique

— Les formules répétées

> L'*Odyssée*, à l'origine poésie orale, comporte des **expressions régulièrement répétées** qui constituent des **points de repère** pour le récitant comme pour l'auditeur.

16 a. Relevez les formules répétées dans les passages qui décrivent les activités du Cyclope (l. 7 à 15 et l. 36 à 41) ; l'activité des rameurs ; la naissance du jour.
b. Quel effet ces répétitions produisent-elles ?

— La violence

17 Ulysse aveugle le Cyclope (l. 78 à 88). Relevez les mots et comparaisons qui soulignent la violence de la scène.

68

— Les épithètes homériques

18 Relevez les épithètes homériques qui caractérisent le troupeau (l. 32-33), le vin (l. 55-56) et le dieu Poséidon (l. 182 à 190). Expliquez leur choix.

19 « Dans son berceau de brume, aussitôt que paraît l'Aurore aux doigts de rose » (l. 7 à 9) : quel terme renvoie à la naissance (du jour) ? Quel terme évoque la couleur de la lumière du matin ?

J'ÉTUDIE LA LANGUE

Conjugaison

20 Réécrivez au passé simple le passage des lignes 36 à 41.

J'ÉCRIS

Raconter un événement

21 « Ah ! la joie de nos gens à nous voir reparaître, échappés à la mort !... et les pleurs et les cris sur ceux qui ne sont plus ! » (l. 154 à 156). Les compagnons d'Ulysse se retrouvent. Les survivants racontent ce qui leur est arrivé.

CONSIGNES D'ÉCRITURE
• Introduisez un dialogue : les survivants racontent à la première personne (« nous ») mais répondent aussi aux questions de leurs compagnons.
• Montrez la force et la brutalité du Cyclope ; respectez les événements (vous pouvez reprendre des expressions du texte).
• Faites ressortir la peur éprouvée par les hommes.

TEXTE 8 ÉOLE ET CIRCÉ

« Ne serais-tu pas Ulysse aux mille tours ?... »

Nous arrivons à l'île d'Éole, où habite le dieu des Vents. C'est une île flottante, entourée d'une côte de bronze indestructible ; en son milieu, un pic pointe vers le ciel.

Nous nous rendons dans le luxueux palais du dieu. Il
5 nous accueille et nous reçoit somptueusement pendant un mois. Il me pose des questions car il veut tout connaître : la guerre de Troie, la flotte des Grecs, le voyage du retour. Moi je lui raconte en détail toutes mes aventures.

Quand je lui dis que je veux repartir, il m'offre son aide.
10 Il me fait cadeau d'une outre[1] merveilleuse, faite avec la peau d'un bœuf de neuf ans, dans laquelle il a enfermé les vents mugissants; car il a reçu de Zeus la garde des Vents : il peut les apaiser ou les déchaîner selon son bon plaisir.

Il ferme donc l'outre avec une tresse d'argent luisante ;
15 puis il l'attache au creux de mon navire pour qu'aucun des vents ne s'en échappe. Pour moi, il fait cependant souffler le doux zéphyr, afin qu'il pousse nos vaisseaux vers les rivages de notre chère patrie. Hélas, l'imprudence de mes compagnons allait causer notre perte...

20 Durant neuf jours, neuf nuits, nous voguons sans relâche. Voici que, le dixième, la terre d'Ithaque est en vue. En ce moment le doux sommeil s'empare de mon corps fatigué ; j'étais brisé ; car c'était moi qui, toujours,

---

1. Outre : peau de bête cousue en forme de sac.

avais dirigé le gouvernail, sans jamais le céder à quelqu'un
25 de mes gens, et cela pour accélérer le retour : j'avais un tel
désir d'arriver au pays !...

Mes hommes alors se mettent à discuter : ils sont
persuadés que l'outre est un cadeau d'amitié que m'a fait
Éole, et qu'elle est remplie d'or et d'argent. Ils délient le
30 sac : tous les vents s'en échappent, et soudain une terrible
bourrasque entraîne mes vaisseaux et les ramène au
large ; mes gens en pleurs voyaient s'éloigner la patrie !...
Moi, je m'éveille alors et je ne sais que décider : me jeter du
vaisseau, chercher la mort en mer, ou supporter la situa-
35 tion en silence et rester en vie... Ma foi, je tins le coup :
roulé dans mon manteau, je m'étendis dans le navire,
tandis que ce vent de malheur nous ramenait jusqu'à l'île
d'Éole et que mes gens se lamentaient.

On arrive chez lui, il était en train de festoyer en famille.
40 – Ulysse !... te voilà revenu ? Quelle divinité maléfique te
poursuit ? Nous avions pourtant préparé ton départ avec
soin pour que tu puisses regagner ta patrie.

Je réponds, le cœur plein de tristesse :
– Je suis victime de mes mauvais compagnons et surtout
45 d'un sommeil malheureux. Ami, secourez-moi, je sais
votre pouvoir.

Mais Éole me répond à son tour :
– Quitte mon île tout de suite, vile[2] créature !... car je ne
puis aider un homme qui est à ce point haï des dieux...
50 Allez ! Va-t-en !...

Il dit et me renvoie, malgré mes lourds sanglots.

_____

2. Vile : méprisable.

Nous reprenons la mer, le cœur triste ; mes gens n'avaient plus de courage à peiner sur la rame : après notre folie, où retrouver un guide ?...

Après six jours de navigation, Ulysse et ses compagnons arrivent chez les Lestrygons, une contrée peuplée de géants cannibales. Du haut de la falaise, ils lancent des rochers sur les vaisseaux d'Ulysse, massacrent les hommes et les dévorent. Seul le bateau d'Ulysse réussit à réchapper du désastre.

55　Nous reprenons la mer, le cœur triste, contents d'échapper à la mort, mais pleurant nos amis. Puis nous arrivons à Aiaié, l'île ou réside Circé, la terrible déesse douée de voix humaine, Circé aux belles boucles, la fille du Soleil.

Sans bruit, nous poussons le bateau vers la plage ; et,
60　durant deux jours et deux nuits, nous demeurons là, accablés de fatigue et rongés de chagrin.

Quand, au troisième jour, apparut l'Aurore aux belles boucles, je m'arme d'un javelot et d'un glaive pointu, je m'éloigne de mon navire, et je monte sur un rocher pour
65　découvrir le site. J'aperçois au loin une fumée qui s'élevait à travers les arbres touffus de la forêt.

Je retourne alors au bateau, je réunis mes compagnons, les divise en deux groupes et désigne un chef pour chacun : moi-même pour le premier groupe et, pour
70　l'autre, Euryloque au visage de dieu. Nous secouons les sorts[3] dans un casque de bronze, afin de savoir quelle

---

3. Nous secouons les sorts : nous tirons au sort (les équipes sont représentées par deux emblèmes, par exemple des cailloux, mis dans un casque).

Art grec, *Œnochoé*, poterie à figures rouges représentant Circé, vᵉ siècle av. J.-C.
(Paris, musée du Louvre).

troupe irait reconnaître les lieux : c'est Euryloque au grand cœur qui fut désigné. Il se met en route avec ses vingt-deux hommes ; nous étions tous secoués de sanglots,
75 ceux qui partaient comme ceux qui restaient...

Ils trouvent, dans un vallon au milieu des bois, la maison de Circé aux murs de pierres polies et, tout autour, changés en lions et en loups de montagne, les hommes que la perfide déesse avait ensorcelés en leur donnant sa drogue.
80 Ces animaux, loin d'attaquer mes compagnons, se dressent au contraire pour les caresser de leurs longues queues, tels des chiens qui fêtent leur maître, tandis qu'eux tremblaient de peur à la vue de ces monstres terribles.

Les hommes d'Euryloque s'arrêtent sous le porche de
85 la déesse aux belles boucles. À l'intérieur, ils entendent Circé chanter d'une voix mélodieuse ; elle tissait une toile immense, d'une finesse extrême, un véritable travail de déesse.

Ils l'appellent, elle accourt et ouvre aussitôt sa porte reluisante ;
90 sante ; et voilà tous mes fous ensemble qui la suivent !... Flairant le piège, seul Euryloque est resté dehors... Elle les invite à entrer ; elle les fait asseoir dans des fauteuils ; puis, ayant mélangé dans son vin de Pramnos du fromage, de la farine et du miel vert, elle ajoute une drogue funeste, pour
95 leur ôter tout souvenir de la patrie. Elle apporte la coupe : ils boivent d'un seul trait. De sa baguette, alors, la déesse les frappe et va les enfermer dans sa porcherie. Ils avaient la tête, les grognements et les soies[4] des porcs ; mais, ils avaient conservé leur conscience. Les voilà enfermés.

---

4. **Soies :** poils durs et raides du porc et du sanglier.

100 Ils pleuraient et Circé leur jetait à manger des glands et des baies, la nourriture que l'on donne aux cochons.

Euryloque revint au bateau à la coque noire : il voulait nous annoncer le sort cruel dont avaient été victimes nos compagnons, mais la douleur l'empêchait de parler, ses 105 yeux étaient pleins de larmes. Il nous raconte enfin ce qui s'est passé. Tandis qu'il parlait, moi je passai autour de mes épaules ma grande épée en bronze, à clous d'argent, ainsi que mon arc, puis je demande à Euryloque de me conduire chez Circé. Mais il me supplie :

110 – Ne m'oblige pas à retourner là-bas, je veux rester ici !... Toi non plus, tu ne reviendras pas, je le sais, et tu ne ramèneras aucun de nos compagnons! Fuyons au plus vite !

Aussitôt je réponds :

– Euryloque, reste donc ici, près du bateau à la coque 115 noire. Moi, je vais y aller, c'est mon devoir.

Je me mis alors en route. J'allais arriver à la grande demeure de Circé, la déesse aux belles boucles, quand, près de la maison, apparaît devant moi Hermès à la baguette d'or. Il avait pris les traits d'un jeune homme à 120 la barbe légère.

Il me saisit la main, et me dit :

– Où vas-tu, malheureux, tout seul, et dans ce lieu que tu ne connais pas ?... chez Circé, pour délivrer tes amis transformés en porcs ? Tu n'en reviendras pas, crois-moi : 125 tu resteras à partager leur sort... Mais je veux te sauver. Tiens ! Voilà une herbe de vie. Prends-la avec toi quand tu rentreras dans la demeure de Circé, elle te protègera de ses maléfices. Je vais t'expliquer ce que Circé va faire.

Elle te préparera une boisson, versera une drogue dans ta
130 coupe mais elle ne réussira pas à t'ensorceler, car l'herbe
de vie en empêchera l'effet. Suis bien mes conseils : dès
que, du bout de sa longue baguette, Circé t'aura frappé, du
long de ta cuisse, tire ton épée à pointe, et saute-lui dessus
comme si tu voulais la tuer !... Tremblante, elle voudra
135 te mener à son lit ; ce ne sera pas le moment de refuser !
Songe qu'elle est déesse, que, seule, elle a le pouvoir de
délivrer tes gens et de te reconduire ! Mais avant, fais-lui
jurer solennellement qu'elle ne te fera aucun mal.

Ayant ainsi parlé, le dieu aux rayons clairs cueillit une
140 herbe à racine noire et à la fleur blanche comme du lait ;
les dieux l'appellent « molu », il est difficile aux hommes
de la déraciner.

Hermès repartit ensuite vers les sommets de l'Olympe et
disparut dans les bois.

145 Quant à moi, je me rends dans la demeure de Circé, je
m'arrête sous le porche de la déesse aux belles boucles et
l'appelle. Elle accourt, sort, m'ouvre sa porte reluisante et
m'invite à entrer, je la suis, la mort dans l'âme. Elle m'ins-
talle en un fauteuil aux clous d'argent, elle prépare une
150 mixture dans une coupe en or et y verse la drogue, ah !
la traîtresse !... Elle me tend la coupe : d'un seul trait, je
bois tout... mais la drogue n'agit pas... Elle me frappe de
sa baguette, et me dit :

– Maintenant, va à la porcherie te coucher près de tes
155 compagnons !

Elle disait ; mais moi, j'ai, du long de ma cuisse, tiré mon
épée à pointe ; je lui saute dessus, comme si je voulais la

tuer. Elle pousse un grand cri, s'effondre à mes genoux et me dit ces paroles ailées :

160   – Qui es-tu ? De quel pays viens-tu ? Où sont ta cité ? tes parents ? C'est un miracle que ma drogue ne t'ait pas ensorcelé !... Jamais, au grand jamais, je n'avais vu un mortel résister à ce breuvage. Ne serais-tu pas Ulysse aux mille tours ?... Le dieu aux rayons clairs, à la baguette 165 d'or, m'avait toujours prédit qu'avec son bateau à la coque noire, il viendrait, cet Ulysse, à son retour de Troie... Mais allons ! c'est assez. Range ton épée et montons sur mon lit ; unissons-nous et ayons confiance l'un en l'autre.

À ces mots de Circé, aussitôt je réponds :

170   – Circé, comment veux-tu que j'aie confiance en toi, alors que tu as transformé mes amis en porcs ! Non ! je n'accepterai de partager ton lit que si tu me jures, par le serment des dieux, que tu n'es animée d'aucune mauvaise intention.

175   Je disais et, suivant mon ordre, elle jura.

Les servantes s'activent alors dans la demeure : l'une recouvre les fauteuils de belles étoffes pourpres, une autre prépare une table d'argent, une autre fait chauffer de l'eau pour me donner un bain délicieux. Quand on m'eut 180 baigné et frotté d'huile fine et revêtu d'un beau manteau et d'une tunique, Circé me fit asseoir en un fauteuil aux clous d'argent, et me dit de manger ; mais mon cœur résistait : j'avais l'esprit ailleurs et voyais tout en mal. Circé s'approche de moi en me disant ces paroles ailées :

185   – Ulysse, qu'as-tu donc ? Tu n'as plus rien à craindre de moi : ne t'ai-je pas juré le plus fort des serments ?

Aussitôt je réponds :

– Oh ! Circé, quel homme pourrait manger et boire avant d'avoir délivré ses compagnons ?

190 Alors Circé, sa baguette à la main, traverse la grande salle et va ouvrir la porcherie. Elle en tire mes amis : ils sont gras, ils ressemblent à des porcs de neuf ans... Elle passe dans leurs rangs, les frotte, chacun, d'une crème magique : je vois les soies se détacher de leurs membres, 195 ils redeviennent des hommes, mais plus jeunes qu'avant, plus beaux et plus grands.

Quand ils m'ont reconnu, chacun me prend la main, et nous pleurons tous à chaudes larmes. La déesse, elle aussi, est prise de pitié. Elle me dit :

200 – Fils de Laërte, Ulysse aux mille ruses ! retourne à ton bateau. Amarre-le, puis ramène ici ton brave équipage.

Malgré les hésitations d'Euryloque, j'amène donc mes hommes chez Circé. Ils furent baignés, frottés d'huile fine, revêtus d'une tunique et d'un manteau de laine.

205 Nous nous retrouvons ensuite tous à festoyer dans la grand-salle ; on pleure, on gémit, la demeure retentit de sanglots.

Circé vient et nous dit, cette toute divine :

– Allons, ne poussez plus tant de gémissements !... Oh ! 210 je sais tous les maux que vous avez soufferts sur la mer poissonneuse ou, par la cruauté des hommes, sur la côte ! Allons, mangez et buvez pour retrouver le cœur que vous aviez à votre départ pour la guerre. Vous avez trop souffert.

Nous restons à mener la bonne vie chez Circé, jusqu'à la 215 fin de l'année.

Extraits du chant X.

78

AI-JE BIEN LU ?

1 Qui est Éole ? Quel cadeau a-t-il fait à Ulysse ?

2 **a.** Quelle imprudence ses compagnons ont-ils commise ?
b. Quelle en a été la conséquence ?

3 **a.** Qui est Circé ?
b. En quel animal transforme-t-elle les compagnons d'Ulysse ?

4 Ulysse réussit-il à sauver ses compagnons ?

J'ANALYSE LE TEXTE

Le parcours d'Ulysse

— **Chez Éole**

5 **a.** Décrivez l'île d'Éole. Quelle image est donnée du lieu ?
b. Ulysse et ses compagnons y sont-ils bien reçus ?
c. Au bout de combien de temps prennent-ils le chemin du retour ?

6 Quelle précaution Éole prend-il pour éviter que les vents ne s'échappent de l'outre ?

7 Pourquoi les compagnons d'Ulysse ont-ils ouvert l'outre ?

8 **a.** Pourquoi se retrouvent-ils à nouveau chez Éole ?
b. Pourquoi Éole ne veut-il plus aider Ulysse (l. 48 à 50) ?

— **Chez Circé**

9 Dans quel cadre Circé vit-elle ? Le lieu paraît-il accueillant ?

10 **a.** Relevez les épithètes homériques qui caractérisent Circé (l. 55 à 58) et l'adjectif qui caractérise sa voix (l. 85-86).
b. Relevez trois termes qui montrent que son physique contraste avec sa déloyauté (l. 55 à 58, 76 à 79 et 148 à 151).

11 De quels animaux Circé est-elle entourée ? Leur comportement est-il en accord avec leur aspect ?

12 Pourquoi les compagnons d'Ulysse se sont-ils laissé prendre au piège ? Lequel a résisté ?

CARNET DE LECTURE

13 Avec l'aide de quel dieu Ulysse déjoue-t-il le plan de Circé ?

14 Comment Ulysse et ses compagnons sont-ils traités par Circé ensuite ? Combien de temps restent-ils chez elle ?

Ulysse, le héros aux mille tours

15 De quelle qualité Ulysse fait-il preuve (l. 33 à 38) ?

16 Pourquoi Ulysse décide-t-il de se rendre chez Circé lorsqu'il apprend le sort qu'ont subi ses compagnons ? Citez le texte.

17 Comment Circé devine-t-elle qu'elle se trouve face à Ulysse ? Par quelle expression le désigne-t-elle ?

Le récit épique

— Le merveilleux : magie et métamorphose

18 Qu'utilise Circé pour exécuter sa magie ?

19 Les compagnons d'Ulysse ont pris des caractéristiques propres aux porcs : lesquelles ? Ont-ils conservé leur conscience ?

20 Quelle seconde métamorphose Circé exerce-t-elle sur eux ? Retrouvent-ils exactement leur état initial ?

— L'intervention des dieux

21 **a.** Relevez l'épithète homérique qui caractérise Hermès. Sous quels traits apparaît-il à Ulysse ?
b. Quelle plante lui offre-t-il ? Quel est son pouvoir ?

J'ÉTUDIE LA LANGUE

Grammaire : les compléments circonstanciels

22 Relisez les lignes 14 à 21, puis identifiez les compléments circonstanciels suivants (temps, lieu, moyen, manière).
a. « avec une tresse d'argent luisante » ; **b.** « au creux de mon navire » ; **c.** « durant neuf jours » ; **d.** « sans relâche ».

80

« Je voudrais tant t'embrasser et pleurer dans tes bras... »

La magicienne Circé annonce à Ulysse qu'il doit aller interroger l'âme du devin Tirésias aux Enfers pour connaître son avenir et notamment les épreuves qu'il devra affronter avant de reprendre possession de son royaume d'Ithaque.

Ulysse prend donc la mer, et arrive tout au bout de l'océan, dans le royaume d'Hadès. Arrivé aux Enfers, il rencontre ses compagnons d'autrefois, tels Agamemnon et Achille. Puis il aperçoit sa mère, Anticlée, et se tourne vers elle...

Aussitôt, ma mère me reconnut et dit, en gémissant, ces paroles ailées :

– Mon fils, tu es vivant, et pourtant te voici dans ces lieux ténébreux ; aucun mortel ne peut y venir. Comment
5 vas-tu ? N'es-tu pas encore rentré à Ithaque ? N'as-tu pas encore revu ta femme Pénélope ?

– Non, ma mère, je n'ai pas encore mis le pied sur notre terre. Depuis le jour où j'ai suivi Agamemnon pour combattre les Troyens, j'erre, sur terre comme sur mer,
10 en proie au chagrin. Mais toi, dis-moi, comment es-tu morte ? Est-ce à la suite d'une longue maladie ? Est-ce Artémis, la déesse à l'arc[1], qui est venue te frapper de ses douces flèches ?... Parle-moi de mon père, et parle-moi

---

1. Artémis, la déesse à l'arc : les Anciens pensaient qu'Artémis, déesse de la chasse, était responsable des morts subites.

de mon fils qui n'était encore qu'un enfant quand je l'ai
15 laissé… Le pouvoir est-il toujours entre leurs mains ? ou
d'autres s'en sont-ils emparés ? Au moins, croit-on encore
à mon retour ? Et ma femme ? Quels sont ses projets, ses
pensées ?… Est-elle restée auprès de notre enfant ?… S'oc-
cupe-t-elle de notre domaine ? ou déjà, aurait-elle épousé
20 un noble Achéen ?

   – Elle t'aime de tout son cœur, mon petit, elle te reste
fidèle et vit toujours dans ta demeure, où elle passe ses
jours et ses nuits à pleurer. Ton fils Télémaque gère tes
biens ; ton père Laërte vit à la campagne. Son chagrin
25 grandit de jour en jour, il attend inlassablement ton
retour, tandis qu'arrive pour lui la pénible vieillesse. Et
moi, si je suis morte, ce n'est pas de maladie, ni des flèches
d'Artémis, c'est le regret de toi, mon enfant, c'est le souci
de toi, c'est ma tendresse pour toi qui m'ont arraché la vie
30 à la douceur de miel.

   Elle parlait ainsi, et moi, je n'avais qu'un désir, serrer
entre mes bras l'ombre de ma mère morte… Trois fois, je
m'élançai vers elle, trois fois elle m'échappa, je ne saisis-
sais qu'une ombre ou qu'un rêve.

35   – Mère, pourquoi me fuir ainsi, alors que je voudrais tant
t'embrasser et pleurer dans tes bras…

   – Hélas ! mon petit ! Tu vois ici quel est le sort des
humains après leur mort : il n'y a plus de nerfs qui main-
tiennent la chair et les os, car ils sont détruits par la
40 flamme brûlante[2] lorsque la vie nous a quittés, et l'âme[3]

---

2. La flamme brûlante : dans la Grèce homérique, les morts sont incinérés.
3. L'âme : le souffle vital.

s'envole et s'enfuit comme un songe... Mais toi, dépêche-toi, retourne vers la lumière ; retiens bien tout ce que je t'ai dit pour le dire à ta femme, quand tu la reverras.

Extrait du chant XI.

Illustration de F. Fabbri pour l'*Odyssée* d'Homère, l'arrivée d'Ulysse aux Enfers. Édition italienne de 1939.

QUESTIONS SUR LE TEXTE 9

AI-JE BIEN LU ?

1 Dans quel lieu Ulysse s'est-il rendu ?

2 Quel personnage y rencontre-t-il ?

3 Quelles questions Ulysse lui pose-t-il ?

4 Que ressent-il durant cette rencontre ?

J'ANALYSE LE TEXTE

Le parcours d'Ulysse : au royaume des morts

— **Une épreuve hors du commun**

5 Pourquoi le passage aux Enfers constitue-t-il une épreuve hors du commun ? Aidez-vous des lignes 3 à 6.

— **Les révélations d'Anticlée**

6 Quel type de phrases Ulysse utilise-t-il principalement, dans les lignes 7 à 20 ?

7 a. Quelles révélations Ulysse obtient-il de sa mère Anticlée concernant :

– son fils Télémaque,

– son épouse Pénélope,

– son père Laërte ?

b. Ces révélations peuvent-elles l'encourager à rentrer à Ithaque ?

Mère et fils

8 a. Quelle est la cause de la mort d'Anticlée ?

b. Relevez dans ses paroles les termes qui montrent la force de l'amour maternel qu'elle éprouve pour son fils (l. 21 à 30).

9 Par quel geste et quels mots Ulysse témoigne-t-il, de son côté, de son émotion et de sa tendresse pour sa mère ?

CARNET DE LECTURE

La condition des morts

> Après la mort, l'individu devient une «ombre» : il garde l'apparence qu'il avait de son vivant, mais il perd toute consistance et devient insaisissable.
> Pour un Grec, la privation de la lumière du jour est l'aspect le plus tragique de la mort.

10 Quel adjectif caractérise les Enfers (l. 4) ?

11 **a.** Quel est « le sort des humains après leur mort » (l. 37 à 41) ?

b. Pourquoi, de ce fait, Ulysse ne peut-il embrasser sa mère ?

c. Relevez la comparaison qui décrit la séparation de l'âme et du corps.

L'éloge de la vie

12 Relevez l'épithète homérique par laquelle Anticlée caractérise la vie (l. 29-30).

13 **a.** Quelles paroles d'espoir et d'encouragement Anticlée adresse-t-elle à Ulysse (l. 41 à 43) ? Quels modes et quels temps utilise-t-elle pour cela ?

b. Quel mot s'oppose aux « ombres » des Enfers ?

J'ÉTUDIE LA LANGUE

Vocabulaire : l'âme

> Le mot «âme» se dit *anima* en latin et *psukhê* en grec (racine *psych-* qui signifie aussi «esprit»).

14 **a.** Que signifient les mots « inanimé » et « réanimer » ? Identifiez les préfixes.

b. Qu'est-ce qu'un psychologue ?

TEXTE 10 LES SIRÈNES – CHARYBDE ET SCYLLA – LES VACHES DU SOLEIL

« Mes gens sont emportés par les vagues »

Les Sirènes

Ulysse quitte les Enfers et reprend la mer avec ses compagnons pour retourner chez Circé. Prenant à part le héros, la magicienne le met en garde contre le danger que représentent les Sirènes, des êtres monstrueux, mi-femmes mi-oiseaux. Ulysse prévient à son tour ses compagnons.

Je reviens au vaisseau et m'adresse ainsi à mes compagnons :

– Mes amis, je veux que vous sachiez ce que m'a dit la divine Circé des dangers qui nous attendent. Nous allons
5 devoir passer devant l'île des Sirènes mais il ne faut surtout pas s'arrêter car elles ensorcellent les humains de leurs voix douces et harmonieuses. Tous ceux qui s'approchent d'elles oublient tout, jusqu'à l'idée du retour, et finissent par mourir, sans jamais revoir leur maison,
10 leur femme et leurs enfants. Le rivage de leur île est tout blanchi d'ossements humains. Le seul moyen de leur échapper, a-t-elle ajouté, est de se boucher les oreilles avec de la cire ; moi seul, si je veux, pourrai écouter leur voix, mais vous devrez m'attacher solidement au mât
15 et resserrer mes liens encore plus fort même si je vous demande de me délier.

Décor peint sur vase grec antique (ve siècle av. J.-C.), Ulysse résiste aux Sirènes.

Pendant que je leur explique cela, nous arrivons aux abords de l'île. Mais tout à coup, le vent, qui jusque là nous était favorable, tombe subitement : un dieu venait
20 d'endormir les flots. Mes compagnons plient les voiles, et les déposent dans le creux du navire ; puis ils s'assoient sur les bancs et font blanchir l'eau de leurs rames polies et brillantes.

Alors, de mon poignard en bronze je divise un grand
25 gâteau de cire ; à pleines mains, j'écrase et pétris les morceaux ; la cire à la douceur de miel s'amollit sous la pression de mes doigts et sous l'effet de la chaleur brillante du soleil. À tous mes compagnons, tour à tour, je bouche les oreilles. Eux m'attachent les pieds et les mains au mât
30 avec de fortes cordes, puis chacun retourne à sa place et frappe de sa rame le flot qui blanchit sous le coup.

Quand nous ne fûmes plus qu'à une portée de voix de l'île, les rameurs redoublèrent de vitesse, mais notre bateau qui bondissait sur la mer n'échappa pas au regard des Sirènes.
35 Elles font entendre alors leur chant mélodieux :

– Viens, Ulysse, viens, toi, le célèbre héros, toi la gloire des Achéens[1] ; arrête ici ton navire et viens écouter nos voix. Jamais personne n'a approché ce rivage, sur son bateau à coque noire, sans avoir écouté les chants harmo-
40 nieux qui s'échappent de nos lèvres ; celui qui a quitté notre plage s'en retourne dans sa patrie, charmé et riche de nouvelles connaissances. Nous savons tous les maux qu'ont soufferts à Troie les Achéens et les Troyens, par la

---

1. **Les Achéens :** les Grecs.

volonté des dieux, et nous savons aussi tout ce qui se passe
45 partout sur terre.

Leurs voix étaient admirables, j'avais une envie irrésis-
tible de les écouter ! Aussitôt par un mouvement de sourcils, je demande à mes compagnons de me détacher ; mais
au lieu d'obéir ils se courbent sur les avirons et rament
50 avec ardeur, tandis que deux d'entre eux, Euryloque et
Périmède, se lèvent et resserrent mes liens.

Le bateau avance, et bientôt, nous sommes loin des
Sirènes et de leur voix charmeuse. Mes compagnons enlè-
vent alors la cire qui bouche leurs oreilles et me délivrent
55 de mes liens.

Extrait du chant XII.

Charybde et Scylla

Circé avait également averti Ulysse qu'après les Sirènes, il aurait à passer entre deux énormes rochers où logent deux monstres marins, Charybde et Scylla, deux filles de Poséidon. Charybde[2], d'un côté, engloutit les navires dans un gouffre tourbillonnant ; Scylla, de l'autre, tapie dans une grotte marine au creux de la roche, possède six cous énormes, six gueules affreuses, avec trois rangées de dents, et elle pousse des aboiements horribles. Avec chacune de ses gueules elle arrache et emporte les marins qui sont sur les bateaux.

Circé a conseillé à Ulysse d'éviter absolument Charybde et de longer à toute allure le rocher de Scylla car il vaut mieux perdre six compagnons que de les voir périr tous. Elle l'a en outre dissuadé de

---

2. Charybde : on situe le tourbillon de Charybde dans le détroit de Messine, qui sépare la Sicile de l'Italie.

décocher des flèches contre Scylla : s'il ralentissait son allure pour s'armer, Scylla aurait le temps de jaillir une seconde fois de son antre et de lui enlever six autres hommes. Ulysse et ses compagnons, qui viennent d'échapper aux Sirènes, arrivent donc dans ce lieu maudit.

À peine avons-nous laissé l'île des Sirènes que nous arrivons au lieu où s'élèvent les deux gigantesques rochers dont Circé m'avait parlé. À cet endroit, le ciel est toujours couvert d'un nuage sombre : ici, le soleil ne brille jamais.

60 Soudain surgissent devant nous d'énormes vagues écumantes qui font un grondement effroyable. La peur saisit mes gens : ils lâchent les rames polies et le vaisseau n'avance plus. Aussitôt, je les encourage.

– Nous avons, mes amis, connu bien d'autres risques !

65 Allons ! croyez-moi, faites ce que je dis ; reprenez vos rames et battez la mer d'une plongée profonde, il nous faut passer très vite ; nous verrons si Zeus nous tire de ce désastre !... Pilote, toi qui tiens la barre, tu vois ce tourbillon d'écume : évite-le et fais attention aux rochers, sinon

70 c'est la mort pour nous tous.

Je dis et ils m'écoutent. Je n'avais pas encore parlé du monstrueux Scylla, car mes compagnons, dans leur affolement, auraient pu lâcher les rames et se blottir au fond du vaisseau !... Mais j'avais oublié le conseil de Circé de ne

75 pas prendre les armes... Je prends en main deux longues piques et je vais me poster à l'avant du navire. J'espérais apercevoir cette Scylla sur son rocher mais mes yeux se fatiguèrent en vain à explorer la roche embrumée.

Nous naviguons donc tout droit afin de passer entre les
deux rocs ; nous étions tous très inquiets. D'un côté attend
Scylla, le monstre aux six gueules, de l'autre Charybde,
qui engloutit et vomit la mer en la faisant bouillonner
comme un chaudron sur un grand feu : il en jaillit des
flots d'écume qui s'élèvent plus haut que les falaises. Mes
hommes étaient verts de peur !

Mais au moment même où, terrifiés, nous regardions vers
le gouffre de Charybde, de l'autre côté, Scylla arracha du
navire six de mes compagnons, les plus forts : je vois leurs
bras et leurs jambes qui s'agitent dans les airs ; ils crient,
ils m'appellent. Ils sont semblables à ces petits poissons
qui frétillent au bout de la canne à pêche, au moment où
le pêcheur tire sa ligne hors de l'eau. Scylla les traîne sur
le rocher et les dévore à l'entrée de sa caverne. Ils hurlent,
les malheureux, ils m'appellent, ils me tendent les mains
pour la dernière fois !... Jamais, de mes yeux, je ne vis telle
horreur à travers mes voyages en mer !

Extrait du chant XII.

Les vaches du Soleil

*Circé avait encore recommandé à Ulysse d'éviter l'île du Trident
où réside le dieu Soleil.*

Une fois franchis les deux rochers de Charybde et de
Scylla, nous arrivons aux abords de l'île admirable du
Soleil. L'on apercevait ses beaux bœufs au grand front

100 et ses grasses brebis. Déjà, du noir vaisseau, encore au large, nous entendions meugler[3] les vaches et bêler les moutons. Je me rappelle alors les prophéties du devin aveugle, Tirésias de Thèbes, et je fais part à mes gens de mes soucis :

105 – Écoutez, mes amis, ce que Tirésias m'a prédit aux Enfers[4] : il m'a recommandé, et très fort, d'éviter cette île du Soleil, qui enchante les mortels ; il m'a dit qu'en ces lieux, nous aurions à subir le comble des malheurs... Doublons cette île ! écartez-en le noir vaisseau !

110 Mes mots leur brisent le cœur. Euryloque[5], aussitôt, répond d'un ton haineux :

– Tu es cruel, Ulysse ! et tu es de fer : tu as plus de force que nous et tu n'es jamais fatigué. Et alors que nous tombons de sommeil et d'épuisement, tu nous défends 115 d'accoster à cette île où nous pourrions faire un bon repas ! Tu voudrais qu'à cette heure, dans la nuit, nous allions nous perdre dans la brume des mers, sans compter les bourrasques et les coups de vent qui nous attendent ! Allons, arrêtons-nous, préparons le souper et campons 120 près du bateau ! et dès l'aube, demain, nous reviendrons à bord et gagnerons le large.

Euryloque parlait, les autres applaudirent. Mais, connaissant les malheurs qu'un dieu nous préparait, je lui dis, en élevant la voix, ces mots ailés :

125 – Je suis seul contre vous tous, Euryloque, et je suis obligé de céder ! Du moins jurez-moi tous que, si nous

---

3. **Meugler :** le meuglement est le cri de la vache.

4. **Aux Enfers :** voir Texte 9 (p. 81).

5. **Euryloque :** voir Texte 8 (p. 72).

rencontrons quelque troupeau de vaches ou de brebis, aucun de vous n'aura l'imprudence d'abattre une seule de ces bêtes ; nous commettrions un sacrilège[6] qui nous
30 serait fatal. Vous vous contenterez des provisions que nous avons reçues de l'immortelle Circé.

Je dis et, sur mon ordre, ils jurent sans tarder. Nous jetâmes l'ancre sur une plage isolée située près d'une source d'eau pure. Nous débarquons, mes hommes préparent le
135 repas, puis, lorsque nous eûmes mangé et bu, nous pleurons nos amis que, du creux du vaisseau, Scylla était venue nous prendre et dévorer ; mais bientôt le plus doux des sommeils s'empara de nous.

Voilà qu'aux deux tiers de la nuit, Zeus l'assembleur des
140 nues lâche un vent terrible aux hurlements d'enfer ; une violente tempête s'abat sur la terre et la mer. Le lendemain, dès qu'apparaît l'Aurore aux doigts de rose, nous mettons à l'abri notre navire en le tirant dans une grotte profonde.

145 Je dis à mes hommes :

– Mes amis, nous avons dans le bateau des boissons et des vivres ; laissons donc ces troupeaux : cela nous porterait malheur ! Ces bœufs et ces grasses brebis appartiennent à un terrible dieu, le Soleil, qui voit tout et qui
150 entend tout !

Je disais et leurs cœurs s'empressent d'obéir. Mais pendant un mois entier, le Notos souffla, le terrible vent du sud, le vent des tempêtes ; nous ne pûmes lever l'ancre.

---

6. Sacrilège : manque de respect envers les dieux.

Aussi longtemps qu'on eut du pain et du vin, mes gens
155 ne touchèrent pas aux bœufs. Mais quand les provisions
vinrent à manquer à bord, ils se mirent à pêcher et chasser,
prenant poissons, oiseaux, ou enfin tout ce qu'ils pouvaient
trouver, car leur estomac était torturé par la faim.

Un jour, je partis seul à l'intérieur de l'île. Je m'arrêtai
160 dans un endroit abrité, me lavai les mains à la rivière et
priai tous les dieux de l'Olympe qu'ils me permettent de
rentrer chez moi, mais, comme en réponse, ils versèrent
sur mes paupières un doux sommeil.

Pendant ce temps, Euryloque, profitant de mon absence,
165 décida mes compagnons à tuer les bêtes sacrées pour faire
un grand festin. Ce qu'ils firent facilement car elles pais-
saient tout près de la proue azurée de notre bateau, ces
vaches au grand front, si belles sous leurs cornes ! Après
avoir fait une prière aux dieux, ils égorgent les animaux
170 et les font rôtir sur les broches.

C'est alors que je me réveille. Je reprends le chemin du
bateau, quand je sens une bonne odeur de viande grillée.
Je fonds en larmes. Je crie vers les dieux immortels :

– Zeus le père ! c'est donc pour mon malheur que vous
175 m'avez plongé dans ce cruel sommeil !

J'appris plus tard, de la bouche de Calypso, la nymphe
aux beaux cheveux, que le Soleil, prévenu du crime
qu'avaient commis mes compagnons, avait supplié Zeus de
punir les coupables. Celui-ci lui promit qu'il nous enver-
180 rait sa foudre étincelante et qu'il briserait notre bateau en
pleine mer couleur de vin.

Quant à moi, j'arrive au navire, j'accable de reproches mes compagnons, mais déjà les dieux nous envoient des signes effrayants : les peaux des bêtes avançaient toutes
85 seules ; les chairs cuites et crues meuglaient autour des broches ; on aurait dit la voix des bêtes elles-mêmes...

Durant six jours entiers, mes fidèles compagnons festoyèrent. Mais au septième jour, le vent du sud s'apaise : on s'embarque à la hâte, on replante le mât, on tend les voiles
90 blanches, on pousse vers le large... Mais notre course est brève. Il nous arrive un furieux vent d'ouest qui souffle en ouragan en hurlant. La rafale renverse le mât, les voiles et les cordages; le mât, en tombant, frappe au front le pilote et lui brise le crâne. En même temps, Zeus fait gronder le
95 redoutable tonnerre et il lance sa foudre sur notre vaisseau. Mes gens sont emportés par les vagues ; ils flottent, autour du noir bateau, pareils à des corneilles marines ; un dieu les privait de la joie du retour...

Resté seul, je courais d'un bout à l'autre du navire,
200 quand un paquet de mer disloque complètement le bateau dont les débris sont emportés par les flots. J'enfourche le mât, y attache la quille avec une lanière que je récupérai et réussis à me fabriquer une embarcation de fortune. Puis je m'abandonne aux vents de mort qui m'emportent.
205 Mais hélas, ils me ramènent au gouffre de Charybde et au rocher de Scylla...

Or Charybde était en train d'avaler l'onde amère. Je réussis à éviter le tourbillon mortel en m'accrochant à un figuier qui avait poussé sur le rocher de Charybde, et je
210 m'y cramponne et reste suspendu là, comme une chauve-

souris. Sans faiblir, je tiens, sans bouger, en attendant que Charybde revomisse ma petite embarcation... Je remonte dessus ; je rame des deux mains, et le Père des dieux et des hommes me permet d'échapper cette fois aux regards
215 de Scylla ; sinon, j'étais perdu... Et neuf jours, je dérive ; à la dixième nuit, le ciel me jette enfin sur cette île océane, où la nymphe bouclée, la terrible déesse dotée de voix humaine, Calypso, me reçoit...

Extrait du chant XII.

Ulysse a achevé son récit. L'auditoire, ému, demeure silencieux. Alcinoos déclare à Ulysse que ses épreuves ont pris fin et qu'il le fera raccompagner chez lui. Il fait préparer un navire et un équipage ; chacun lui offre de somptueux cadeaux d'adieu. Ulysse remercie chaleureusement ses hôtes et monte à bord. Il s'étend sur le pont et s'endort, tandis que les Phéaciens dirigent le navire vers Ithaque...

Le vaisseau filait sans secousse et sans risque, et l'éper-
220 vier, le plus rapide des oiseaux, ne l'aurait pas suivi.

Il courait, il volait, fendant le flot des mers, emportant ce héros aux divines pensées, dont l'âme avait connu, autrefois, tant d'angoisses. Juste à l'heure où paraît la brillante étoile, qui vient pour annoncer la lumière de
225 l'Aurore, le navire rapide abordait en Ithaque.

Les Phéaciens déposent Ulysse sur le rivage près d'un olivier, sans le réveiller ; ils tirent du vaisseau les richesses données par les nobles Phéaciens ; ils les mettent en tas, au pied d'un olivier, à l'écart de la route, de peur que les
230 passants ne viennent les dérober avant qu'il se réveille ; puis, reprenant la mer, le bateau s'en retourne.

Extrait du chant XIII.

1 Qui sont les Sirènes ? Pourquoi sont-elles dangereuses ?

2 Qui sont Charybde et Scylla ? Pourquoi les marins cherchent-ils à les éviter ?

3 Pourquoi les compagnons d'Ulysse commettent-ils un sacrilège en sacrifiant les vaches du Soleil ?

4 Reste-t-il encore des compagnons à Ulysse après la tempête envoyée par Zeus ?

5 Où Ulysse finit-il par arriver ?

J'ANALYSE LE TEXTE

Le narrateur et la chronologie

6 **a.** Rappelez à qui Ulysse raconte son histoire. Mène-t-il le récit à la 1re personne ou à la 3e personne ?

b. À quel moment de ses aventures le récit d'Ulysse s'arrête-t-il ?

c. À quelle personne le narrateur reprend-il le cours du récit ? (Ulysse est-il désigné par le pronom « je » ou le pronom « il » ?)

Le parcours d'Ulysse : dernières aventures sur mer

━ Les Sirènes

7 Relevez les mots qui montrent la beauté de la voix et des chants des Sirènes (l. 7, 35, 39-40, 46, 53).

8 Quelles précautions Ulysse prend-il pour protéger ses compagnons ? Qui l'a averti et conseillé ?

9 **a.** Ulysse souhaite écouter la voix des Sirènes. Quel ordre donne-t-il à ses hommes pour ne pas lui-même succomber à leur charme (l. 13 à 16) ?

b. Par quels arguments les Sirènes tentent-elles toutefois de le séduire (l. 36 à 45) ? Y ont-elles réussi ?

— Charybde et Scylla

10 En quoi Charybde et Scylla, et le site où elles résident, sont-ils effrayants ? Citez le texte. Relevez notamment une comparaison (l. 80 à 83).

11 Combien Scylla enlève-t-elle de marins à Ulysse ? Quelle mort subissent-ils ?

— Les vaches du Soleil

12 Pourquoi les compagnons d'Ulysse veulent-ils s'arrêter sur l'île du Soleil ? Lequel d'entre eux argumente contre lui ?

13 **a.** Quelles épithètes homériques caractérisent les vaches qui paissent en ce lieu (l. 99-100, 164 à 168) ?

b. Quel ordre Ulysse donne-t-il à ses compagnons concernant ces vaches ?

14 **a.** Combien de temps restent-ils sur l'île (l. 151 à 153) ? Pourquoi ?

b. Pourquoi les compagnons d'Ulysse finissent-ils par sacrifier les vaches (l. 154 à 158) ?

> L'épisode des vaches du Soleil revêt une signification importante dans l'*Odyssée* : en s'attaquant à un dieu, on encourt les plus grands châtiments.

15 **a.** Quels signes inquiétants les dieux envoient-ils aux hommes après le sacrifice des bêtes ?

b. Quelle demande le Soleil fait-il à Zeus pour punir Ulysse et ses compagnons ?

— La tempête finale

> L'épisode de la tempête constitue la dernière péripétie du voyage d'Ulysse avant son arrivée chez Calypso.

16 Relevez le champ lexical de la tempête et de la destruction (l. 191 à 201). Qui en réchappe ?

17 **a.** Pourquoi Ulysse est-il contraint de passer une seconde fois entre Charybde et Scylla ?

b. Comment réussit-il à éviter le tourbillon de Charybde (l. 207 à 212) ? Relevez la comparaison qui le montre en mauvaise posture.

c. Comment récupère-t-il son embarcation ?

▬ Le retour à Ithaque

18 a. De quelle façon Alcinoos aide-t-il Ulysse à retourner à Ithaque ?

b. Dans quel lieu Ulysse est-il déposé ?

Le récit épique : des scènes dramatiques

19 a. Relevez les mots et expressions qui rendent effroyables les deux scènes suivantes :

– la mort des compagnons dévorés par Scylla (l. 86 à 96) ;

– la mort des compagnons dans la tempête (l. 191 à 198).

b. À quoi les compagnons sont-ils comparés dans chacune de ces scènes ?

Ulysse, le héros aux mille tours

20 a. En quoi Ulysse, face aux dangers, est-il différent de ses hommes ?

b. Montrez qu'il se comporte comme un chef, qui dirige, encourage et protège ses compagnons.

c. À quel moment n'a-t-il rien pu faire pour eux ?

21 Quelles prouesses physiques accomplit-il ?

22 Pourquoi Ulysse est-il appelé «le héros aux divines pensées» ?

J'ÉTUDIE LA LANGUE

Vocabulaire : les expressions issues de l'*Odyssée*

23 a. Recherchez le sens des mots et expressions :

– tomber de Charybde en Scylla ;

– écouter le chant des Sirènes ;
– une éolienne.

b. Retrouvez les origines de ces expressions.

Grammaire : les pronoms et les déterminants

24 « J'appris plus tard (...) que le Soleil (...) avait supplié Zeus de punir les coupables. **Celui-ci lui** promit qu'**il nous** enverrait sa foudre étincelante et qu'il briserait notre bateau [...]. »

a. Donnez la classe des pronoms en gras : lesquels sont des pronoms personnels ? Lequel est un pronom démonstratif ?

b. Dites à qui renvoie (ou qui désigne) chacun des pronoms.

c. Relevez les déterminants possessifs. Quels mots déterminent-ils ? Qui sont les différents possesseurs ?

J'ÉCRIS

Décrire les Sirènes

Les Sirènes ne sont pas décrites par Homère. L'Antiquité les représente sur les vases comme des monstres mi-femmes mi-oiseaux, qui vivent dans une île de la Méditerranée.

25 À vous d'introduire dans le récit une description des Sirènes, telles que vous les imaginez.

CONSIGNES D'ÉCRITURE
• Commencez par la phrase :
« Quand nous ne fûmes plus qu'à une portée de voix de l'île, les rameurs redoublèrent de vitesse, mais notre bateau qui bondissait sur la mer n'échappa pas au regard des Sirènes. »
• Puis introduisez la description : laissez libre cours à votre imagination !
• Terminez par : « Elles font entendre alors leur chant mélodieux ».

« Je suis ton père »

Ulysse se réveille, il ne sait où il est. Un jeune berger, qui n'est autre que la déesse Athéna, s'approche de lui. Après lui avoir appris qu'il se trouvait à Ithaque, la déesse reprend sa forme première et lui raconte ce qui s'est passé en sa demeure durant son absence. Pour l'aider à accomplir sa vengeance contre les prétendants, elle le transforme en mendiant, ce qui le rendra méconnaissable et endormira leur méfiance.

Athéna conseille à Ulysse de se rendre chez Eumée, le porcher[1] qui lui est resté fidèle et qui lui offrira l'hospitalité. Ce dernier l'accueille sans le reconnaître et lui apprend que les prétendants continuent à courtiser Pénélope et à piller ses biens.

Athéna, de son côté, est allée chercher Télémaque, le fils d'Ulysse, à Sparte ; elle l'incite à changer d'itinéraire pour son voyage de retour car les prétendants ont préparé une embuscade contre lui.

Télémaque arrive sain et sauf à Ithaque. Il se rend chez Eumée qui est en train de préparer le déjeuner du matin avec Ulysse ; il ne reconnaît évidemment pas son père. Télémaque demande à Eumée d'aller trouver sa mère pour lui dire que son fils est de retour.

Dès que le porcher Eumée eut quitté sa cabane, Athéna apparut sous les traits d'une femme resplendissante. Elle se tenait devant la porte : Télémaque ne remarqua rien,

---

1. Porcher : serviteur qui garde les porcs.

seul Ulysse pouvait la voir, car les dieux ne se montrent

5 pas à tous les humains. Athéna fronça les sourcils, et à ce signe Ulysse obéit et sortit dans la cour. La déesse lui dit alors :

– Noble fils de Laërte, Ulysse aux mille tours, écoute-moi : il est temps de parler à ton fils, il doit tout savoir.

10 Vous devez préparer ensemble votre vengeance contre les prétendants et aller à la ville ; je serai à vos côtés, prête à combattre.

À ces mots, elle toucha Ulysse de sa baguette d'or ; et aussitôt il grandit et rajeunit : sa peau reprit des couleurs,

15 ses rides s'effacèrent et sa barbe redevint bleu sombre. Elle lui rendit ses beaux vêtements et disparut.

Quand Ulysse rentra dans la cabane, son fils en l'apercevant, resta stupéfait ; craignant de voir un dieu, il lui dit ces mots ailés :

20 – Comme tu as changé, étranger ! Tu as grandi et rajeuni ; tes vêtements ne sont plus les mêmes. Es-tu l'un des dieux, maîtres du ciel ?

– Je ne suis pas un dieu ! lui répondit l'endurant Ulysse. Je suis ton père, celui dont l'absence t'a causé tant de

25 peines et de souffrances.

Et il embrassa son fils en pleurant. Mais Télémaque ne se laissait pas convaincre :

– Non, tu n'es pas mon père Ulysse ! Un dieu cherche à me tromper pour augmenter mon chagrin. Un simple

30 mortel ne peut se métamorphoser aussi rapidement : tu étais à l'instant un vieillard habillé comme un mendiant, et te voilà semblable à l'un des dieux du ciel !

Le sage Ulysse lui fit cette réponse :

– Mon retour ne doit pas te surprendre, Télémaque ; tu
35 ne verras jamais un autre Ulysse, c'est bien moi qui suis
ton père. Si après tant de malheurs, après tant d'aventures, je reviens au pays au bout de vingt ans, c'est l'œuvre
d'Athéna protectrice. Oui, c'est elle qui me change tour à
tour en mendiant ou beau jeune homme : tout est facile
40 pour les dieux !

À ces mots, il s'assit et Télémaque se jeta dans ses bras en
pleurant. Et tous deux restaient enlacés, agités de violents
sanglots ; ils poussaient des gémissements comme des
aigles ou des vautours auxquels des paysans ont ravi leurs
45 petits.

*Ulysse expose ensuite à Télémaque son intention de se venger des
prétendants. Télémaque l'informe de leur grand nombre : cent dix-
huit, avec leurs serviteurs…*

*Le plan d'Ulysse est le suivant : Télémaque ira en sa demeure et
mettra les armes en lieu sûr. Ulysse arrivera un peu après.*

*Le soir même, chez Eumée, Athéna retransforme Ulysse en men-
diant : personne ne saura qui il est, ainsi il lui sera plus facile de
mettre à exécution sa vengeance.*

Extrait du chant XVI.

QUESTIONS SUR LE TEXTE 11

AI-JE BIEN LU ?

1 Quelle apparence Athéna a-t-elle donnée à Ulysse lorsqu'il arrive à Ithaque ?

2 Quel personnage lui offre l'hospitalité? Sait-il qu'il a affaire à Ulysse ?

3 Quand Télémaque arrive, reconnaît-il son père ?

4 Quelle nouvelle transformation Athéna fait-elle subir à Ulysse ? Quel conseil lui donne-t-elle ?

5 Comment les retrouvailles se passent-elles ?

J'ANALYSE LE TEXTE

Le parcours d'Ulysse : première scène de reconnaissance

....

> On appelle **scène de reconnaissance** une scène dans laquelle des personnages se reconnaissent ou se retrouvent. Dans l'*Odyssée*, les scènes de reconnaissance se situent au moment où Ulysse revient à Ithaque.

6 **a.** Dans quel lieu la scène de reconnaissance se déroule-t-elle ?

b. Pourquoi Télémaque ne croit-il pas que l'homme qui est devant lui est son père ?

c. Avec quels types et formes de phrases exprime-t-il son étonnement (l. 20 à 22) ?

7 Depuis quand Ulysse et Télémaque ne se sont-ils pas revus ?

8 **a.** Par quels gestes et réactions le père et le fils manifestent-ils leur joie et leur émotion (l. 26 à 45) ? Relevez un champ lexical.

b. À quoi sont-ils comparés (l. 42 à 45) ?

Le récit épique : le merveilleux

— L'intervention des dieux

> Dans l'*Odyssée*, la divinité qui intervient le plus en faveur d'Ulysse est Athéna, sa protectrice.

9 **a.** Sous quelle apparence Athéna se présente-t-elle à Ulysse ? Quel accessoire utilise-t-elle ? Citez le texte.
b. Télémaque peut-il la voir ? Pourquoi ?
10 **a.** Avec quelles expressions Athéna s'adresse-t-elle à Ulysse ? Qu'éprouve-t-elle pour le héros ?
b. Quel est son plan ? Quel conseil lui donne-t-elle ?
11 **a.** Citez la phrase par laquelle Ulysse témoigne de sa reconnaissance envers la déesse (l. 34 à 40).
b. Quel est le pouvoir des dieux à ses yeux ?

— La métamorphose

12 **a.** Quelle métamorphose Athéna fait-elle subir à Ulysse (l. 13 à 16) ?
b. Relevez les termes qui expriment une transformation.
c. Dans quel but le métamorphose-t-elle ?

Ulysse aux mille tours

13 Relevez les épithètes homériques qui caractérisent Ulysse (l. 8, 23, 33). Quelles qualités du héros mettent-elles en valeur ?
14 Quelle nouvelle image Ulysse donne-t-il de lui dans cette scène ? Appréciez-vous cette image ?

J'ÉTUDIE LA LANGUE

Vocabulaire : les antonymes

> Les **antonymes** sont des mots de **sens opposé** et de **même classe grammaticale**.

15 « À ces mots, elle toucha Ulysse de sa baguette d'or ; et aussitôt il **grandit** et **rajeunit** : sa peau **reprit des couleurs**, ses rides **s'effacèrent** et sa barbe redevint **bleu sombre**. Elle lui rendit **ses beaux vêtements** et disparut. » (l. 13 à 16)

Imaginez qu'Athéna transforme à nouveau Ulysse en un vieux mendiant : réécrivez ce passage en remplaçant chaque mot en gras par un antonyme.

Grammaire : les temps verbaux

16 « Dès que le porcher Eumée **eut quitté** sa cabane, Athéna **apparut** sous les traits d'une femme resplendissante. **Elle se tenait** devant la porte : Télémaque ne **remarqua** rien, seul Ulysse pouvait la voir, car les dieux ne **se montrent** pas à tous les humains. » (l. 1 à 5). Identifiez le temps et le mode des verbes en gras (indicatif présent, imparfait, passé simple, passé antérieur).

J'ÉCRIS

Raconter une scène de retrouvailles

17 Vous avez retrouvé une personne après une séparation plus ou moins longue. Racontez ces retrouvailles.

> CONSIGNES D'ÉCRITURE
> • Présentez les circonstances des retrouvailles.
> • Racontez ensuite la scène en évoquant les gestes et réactions de chacun.
> • Vous pourrez introduire un bref dialogue au style direct.

« Ulysse [...] détourna la tête pour cacher ses larmes »

Le lendemain, Ulysse, déguisé en mendiant, se rend en sa demeure ; il est accompagné par Eumée.

Comme Ulysse et Eumée étaient arrivés devant la maison, Ulysse lui dit :

– Eumée, cette belle demeure, c'est bien celle d'Ulysse ? Elle est facile à reconnaître entre toutes. Quelles belles
5 murailles autour de la cour ! Quel solide portail ! Personne ne pourrait entrer de force. Mais sens-tu cette odeur de viande grillée ? Entends-tu la musique d'une cithare[1]? On doit donner un festin à l'intérieur, sans doute.

Tout en discutant, ils entrèrent dans la cour ; il y avait
10 là un chien couché qui leva la tête et dressa les oreilles. C'était Argos, le chien que le vaillant Ulysse avait nourri et élevé avant de partir pour Troie. Les jeunes préten- dants lui avaient fait courir le cerf, le lièvre et les chèvres sauvages tant qu'il était dans la force de l'âge ; maintenant
15 qu'il était vieux, on le négligeait et il restait couché sur un tas de fumier[2], couvert de poux. Comme Ulysse venait vers lui, il le reconnut, remua la queue, et coucha ses oreilles ; mais il n'eut pas la force d'aller jusqu'à son maître.

Ulysse l'avait vu ; il détourna la tête pour cacher ses
20 larmes au porcher et se hâta de dire :

---

1. Cithare : instrument de musique proche de la lyre.
2. Fumier : mélange de litières et d'excréments des animaux.

– Eumée, voilà qui est étonnant, un pareil chien sur le fumier ! Il est de belle race, mais on ne voit plus bien s'il était aussi rapide que beau. À qui appartient-il ?

– C'est le chien de cet homme qui est mort loin d'ici.

25 Ah ! si tu avais pu le voir quand Ulysse nous a quittés pour faire la guerre ! Vif, rapide, il était le meilleur des chiens de chasse. Il est malade maintenant et ne peut plus bouger ; son maître a disparu loin du pays natal, et les servantes ne s'occupent plus de lui.

30 À ces mots, il entra dans la belle demeure. Mais l'ombre de la mort venait de fermer les yeux d'Argos qui venait de revoir Ulysse après vingt ans.

Extrait du chant XVII.

Toujours sous l'apparence d'un vieux mendiant, Ulysse est maltraité par les prétendants ; mais Pénélope demande à s'entretenir avec lui dans l'espoir d'avoir des nouvelles d'Ulysse. Le faux mendiant lui annonce alors le retour prochain de son mari. Selon les règles de l'hospitalité, Pénélope demande à la vieille nourrice Euryclée de lui laver les pieds.

Alors Euryclée alla prendre une bassine scintillante ; elle y répandit d'abord de l'eau froide et y versa ensuite 35 de l'eau bouillante. Ulysse s'assit loin du feu en tournant le dos à la lumière ; car il craignait qu'Euryclée, en le lavant, ne découvrît la cicatrice qu'il avait au-dessus du genou et qui pouvait le trahir. Or, dès qu'elle se fut agenouillée pour lui baigner les pieds, la vieille femme reconnut aussitôt 40 la blessure que fit jadis à Ulysse un sanglier aux défenses

d'ivoire : il lui avait déchiré la cuisse alors qu'il chassait, tout enfant, sur le Parnasse[3] avec son grand-père. De surprise elle laissa échapper le pied d'Ulysse, la bassine se renversa et l'eau se répandit sur le sol. L'angoisse et le
45 bonheur envahirent le cœur de la vieille nourrice ; ses yeux débordaient de larmes et sa voix tremblait quand elle lui dit :

– Ulysse, c'est donc toi, mon petit... Et dire que je ne t'ai pas reconnu tout de suite !

50 Comme elle cherchait des yeux Pénélope pour la préve-nir, Ulysse, de sa main droite, la saisit à la gorge, et de l'autre, l'attira à lui :

– Eh ! quoi, bonne nourrice, toi qui m'as donné ton lait, tu veux donc ma mort ? Au moment où je reviens au pays
55 après vingt années d'absence ! Puisque les dieux t'ont permis de me reconnaître, tais-toi ; que nul autre ne le sache, tant que je n'aurai pas accompli ma vengeance contre les prétendants ! Sinon je ne t'épargnerai pas.

– Quelle parole s'est échappée de tes lèvres, mon enfant ?
60 Tu me connais : je suis comme la pierre, comme le fer. Jamais je ne te trahirai !

Euryclée traversa alors la grande salle pour apporter un autre bain, car l'eau du premier venait d'être renversée. Lorsqu'elle eut baigné et frotté d'huile fine les pieds de son
65 maître, Ulysse tira son siège près du feu pour se chauffer.

Extrait du chant XIX.

---

3. **Parnasse :** montagne de Grèce où vivent les Muses.

CARNET DE LECTURE

QUESTIONS SUR LE TEXTE 12

AI-JE BIEN LU ?

❶ Sous quelle apparence Ulysse se présente-t-il chez lui ? Qui l'accompagne ?

❷ Qui est Argos ? Comment réagit-il à la vue d'Ulysse ?

❸ À quel signe la nourrice Euryclée reconnaît-elle Ulysse ?

J'ANALYSE LE TEXTE

Le parcours d'Ulysse : les scènes de reconnaissance

— **Ulysse reconnu par son chien Argos**

❹ Quel âge environ avait Argos au moment du départ d'Ulysse pour Troie ? Quel âge peut-il donc avoir au retour d'Ulysse ? Justifiez votre réponse.

❺ a. Dans quel état Argos se trouve-t-il ? Pourquoi ? Relevez des termes précis (l. 9 à 18, 27 à 29).

b. Comparez avec son état antérieur (l. 12 à 14, 24 à 29).

❻ Comment le chien se comporte-t-il à la vue d'Ulysse ? Que prouve ce comportement ?

❼ a. Quelle est la réaction d'Ulysse à la vue de son chien ? Citez le texte.

b. Comment s'y prend-il pour s'informer au sujet d'Argos ?

c. Pourquoi cache-t-il son émotion ?

❽ a. En quoi la mort d'Argos est-elle émouvante ? Par quelle expression imagée est-elle exprimée ?

b. Comment expliquez-vous que l'animal, contrairement aux humains, ait immédiatement reconnu Ulysse ?

— **Ulysse reconnu par la nourrice Euryclée**

❾ Quel geste d'hospitalité la nourrice accomplit-elle pour Ulysse ? Citez le texte.

110

10 Quel lien unit Ulysse et Euryclée ? Relevez les expressions qu'ils utilisent pour s'adresser l'un à l'autre.

11 **a.** Comment Ulysse se place-t-il pour éviter qu'Euryclée ne le reconnaisse ?

b. Comment l'émotion d'Euryclée se manifeste-t-elle (gestes, visage, voix) lorsqu'elle comprend que c'est Ulysse qui est devant elle (l. 42 à 47)?

c. Quels sentiments contradictoires éprouve-t-elle ? Citez le texte.

12 **a.** Quelle est la réaction d'Ulysse lorsqu'Euryclée le reconnaît (l. 50 à 58) ? Citez le texte.

b. Comment expliquez-vous cette réaction ?

c. Quelle comparaison Euryclée utilise-t-elle pour faire comprendre à Ulysse qu'il peut lui faire confiance (l. 59 à 61) ?

J'ÉTUDIE LA LANGUE

Vocabulaire : autour du mot « chien »

....

Le mot « chien » vient du latin *canis*.

13 Complétez avec des mots formés à partir de la racine *can-* :
a. Les chiens appartiennent à la famille des ca...
b. Les dents pointues situées entre les molaires et les incisives sont des ca...

14 Cherchez le sens des expressions suivantes, formées à partir du mot « chien » :
a. Avoir un mal de chien. **b.** Une vie de chien. **c.** Traiter quelqu'un comme un chien. **d.** Entre chien et loup. **e.** Se regarder en chiens de faïence. **f.** Recevoir quelqu'un comme un chien dans un jeu de quilles. **g.** Être coiffé à la chien. **h.** Les chiens aboient, la caravane passe. **i.** Qui veut noyer son chien l'accuse de la rage.

Grammaire : les fonctions de l'adjectif

L'adjectif qualificatif peut être :
– **épithète**, joint au nom (*un grand chien*) ;
– **attribut du sujet**, séparé du nom par un verbe d'état (*ce chien est petit*) ;
– **mis en apposition**, séparé du nom par une virgule (*le chien court, rapide comme le vent*).

15 Relevez les adjectifs dans les phrases suivantes. Dites quel nom ou pronom ils caractérisent, puis donnez leur fonction.

a. « Alors Euryclée alla prendre une bassine scintillante ; elle y répandit d'abord de l'eau froide et y versa ensuite de l'eau bouillante » (l. 33 à 35).

b. « Vif, rapide, il était le meilleur des chiens de chasse » (l. 26-27).

c. « Il est malade maintenant » (l. 27).

LE SAVIEZ-VOUS ?

La demeure d'Ulysse

« Eumée, cette belle demeure, c'est bien celle d'Ulysse ? » (l. 3)
La maison d'Ulysse malgré son titre de roi d'Ithaque ne peut rivaliser avec le palais d'Alcinoos, qui est imaginaire et féérique. Cette demeure est un *mégaron* de dimensions plus modestes : on y pénètre par un porche (*prothyron*) soutenu par deux colonnes ; le visiteur pénètre ensuite dans un vestibule (*prodomos*) qui donne dans la grande salle (*domos*).
Au centre de la salle se trouve un foyer placé entre quatre colonnes en bois, qui encadrent le foyer et soutiennent le plafond ; près du foyer se dresse le trône. Le toit est à double pente, couvert de lattes de bois ou de chaume.
Le porche donne sur une cour à laquelle on accède par un portail ornemental.

« C'est ainsi qu'en un tas, gisaient les prétendants »

Pendant qu'Ulysse se chauffe pour se sécher, Pénélope vient lui parler.

Alors la sage Pénélope vint s'entretenir avec l'étranger :
— Mon hôte, laisse-moi te parler. Voici l'heure où chacun s'abandonne au doux sommeil ; mais moi je reste éveillée, le cœur déchiré par le doute et le chagrin. Dois-je rester ici
5 auprès de mon enfant, tout garder en l'état et rester fidèle à mon époux ou bien dois-je épouser un des prétendants en choisissant celui qui me paraîtra le plus noble et qui offrira les plus riches présents ? Mon fils, tant qu'il était petit, m'empêchait de me remarier ; mais c'est un homme
10 maintenant : il me presse lui-même de quitter la maison, indigné de voir ces gens dévorer ses biens[1]. Et voilà qu'il est arrivé, ce jour de malheur où je dois partir ; et pour en finir je vais proposer aux prétendants l'épreuve des douze haches. Autrefois Ulysse les alignait en sa demeure ; puis
15 il allait se poster à bonne distance pour envoyer sa flèche à travers les douze trous de manche. Si l'un d'eux réussit à tendre l'arc d'Ulysse et à traverser d'une seule flèche les douze haches, j'accepterai de l'épouser, quittant à regret la maison de ma jeunesse.

---

1. **Ses biens :** ses richesses.

20   Le rusé Ulysse lui fit alors cette réponse :

– Noble épouse d'Ulysse, fils de Laërte, n'hésite plus,
ouvre ce concours. Ulysse rentrera avant qu'ils aient pu
tendre la corde et traverser les haches.

*Le lendemain, Pénélope va chercher l'arc d'Ulysse puis fait dispo-
ser dans la salle douze haches les unes derrière les autres. Elle invite
les prétendants, qui étaient en train de festoyer, à tendre et à bander
l'arc d'Ulysse pour envoyer une flèche à travers les douze trous de
leur manche : elle épousera celui qui réussira l'épreuve. Les prétendants essaient, mais ils échouent l'un après l'autre. Ulysse, déguisé
en mendiant, demande alors à essayer. Tous se moquent de lui.
Pénélope demande qu'on lui laisse sa chance.*

Ulysse tenait l'arc, le tournait, le retournait, en tous sens
25   car il voulait s'assurer qu'il n'avait pas été attaqué par les
vers durant son absence.

L'un des prétendants disait à son voisin :

– Voilà un connaisseur qui sait jouer de l'arc !... c'est
sûr, il a le même chez lui ou bien il songe à s'en fabriquer
30   un !... Voyez comme ce vagabond le tourne et le retourne
en ses mains misérables !

Mais un autre de ces jeunes prétentieux s'écriait :

– Eh bien, qu'il réussisse dans la vie comme il va réussir
à bander cet arc !...

35   Or, tandis qu'ils parlaient, Ulysse aux mille ruses avait
bien examiné son grand arc. De même qu'un musicien
tend facilement la corde neuve de sa cithare, de même
Ulysse alors tendit, sans effort, le grand arc, puis sa main

droite prit et fit vibrer la corde, qui chanta comme un cri

40 d'hirondelle.

Les prétendants pâlirent d'angoisse. Zeus fit retentir alors un énorme coup de tonnerre et Ulysse se réjouit de ce signe. Il prit la flèche ailée qu'il avait déposée sur sa table ; les autres, celles dont les prétendants allaient bien-

45 tôt goûter, étaient restées dans le carquois[2]. Il l'ajusta sur

Bernard Buffet, *L'Odyssée, L'arc d'Ulysse*, 1993, huile sur toile, 223 x 279 cm.

---

2. **Le carquois :** l'étui des flèches.

l'arc, tendit la corde et, sans même se lever de son siège, il tira droit au but : la lourde flèche de bronze traversa l'enfilade des haches et ressortit à l'autre bout.

Ulysse dit alors à Télémaque :

50   – Tu vois, tu n'as pas à rougir, Télémaque, de l'étranger qui s'est assis chez toi. J'ai tendu l'arc sans effort, je n'ai pas manqué le but, j'ai gardé toute ma force malgré le mépris et les insultes des prétendants.

Alors, jetant ses habits de mendiant, Ulysse aux mille

55   tours s'élance d'un bond sur le large seuil de la porte en tenant l'arc et le carquois empli de flèches ailées. Il vida les flèches devant lui, à ses pieds, puis dit aux prétendants :

– Fini le jeu !… c'est une autre cible que je vais maintenant viser ; voyons si je pourrai obtenir d'Apollon[3] la gloire

60   de l'atteindre !

Il dit et décocha[4] une flèche mortelle contre Antinoos[5], juste au moment où il s'apprêtait à porter à ses lèvres une belle coupe en or à deux anses ; il allait boire le vin qu'elle contenait, loin de penser à la mort. En effet, qui

65   aurait pu imaginer qu'en plein banquet et au milieu de tant de convives, un seul homme, aussi fort et courageux soit-il, précipiterait Antinoos dans le sombre empire de la Mort ?… La flèche l'avait atteint à la gorge : la pointe traversa le cou délicat et sortit par la nuque.

70   L'homme frappé à mort tomba à la renverse ; sa main lâcha la coupe ; soudain, un flot épais de sang jaillit de

---

3. Apollon : il est le dieu de la Lumière, du Soleil, mais aussi le dieu des archers. Ses flèches, fabriquées par Héphaïstos, sont redoutables.
4. Décocha : projeta avec l'arc.
5. Antinoos : le chef des prétendants et le plus insolent.

ses narines ; d'un brusque coup, ses pieds renversèrent la table ; les viandes rôties, le pain et tous les plats se répandirent sur le sol.

75 Les prétendants hurlèrent quand ils virent l'homme à terre : s'élançant des fauteuils, ils couraient en tous sens dans la salle, puis ils insultèrent Ulysse en des mots furieux :

– Misérable étranger, tu oses lancer tes flèches sur les 80 hommes ! Mais tu vas voir, ta perte est résolue ! Car tu viens de tuer le plus illustre de tous les jeunes citoyens d'Ithaque ; les vautours dévoreront bientôt ton cadavre.

Ils parlent ainsi, ces fous, car ils pensent qu'Ulysse n'a pas voulu tuer Antinoos. Les insensés ! ils ignorent qu'ils 85 sont tous menacés de la mort.

L'ingénieux Ulysse les toisa[6] et leur dit :

– Ah ! chiens, vous pensiez donc que jamais je ne reviendrais de Troie ! moi vivant, vous avez pillé ma maison et vous avez fait la cour à ma femme !... et cela sans craindre 90 la vengeance ni des hommes, ni des dieux qui habitent le vaste ciel. Mais vous voilà maintenant dans les filets de la mort !

Les prétendants verdirent ; Eurymaque fut le seul à répondre :

95 – Ah ! si tu es vraiment Ulysse roi d'Ithaque, tu as raison d'accuser ces hommes pour tout ce qu'ils ont commis. Mais le voilà mort, celui qui est la cause de tout ! Ce qu'il voulait, ce n'était pas tellement le mariage avec ta femme, il avait

---

6. Toisa : regarda avec mépris.

117

d'autres projets : tuer ton fils au cours d'une embuscade et
100 régner sur ton pays d'Ithaque. Mais puisque le voilà puni,
épargne-nous ! Nous allons te rembourser en or ou en
bronze tout ce qu'on a pu boire et manger chez toi.

L'ingénieux Ulysse lui jeta un regard furieux et lui dit :

– Eurymaque, même si vous me donnez tous vos biens,
105 et ceux de vos familles, et d'autres encore, je chercherai
à vous abattre tant que je n'aurai pas tiré ma complète
vengeance !...

Eurymaque reprit à nouveau la parole :

– Amis, vous l'entendez ! rien ne peut arrêter cet homme ;
110 du haut du seuil luisant, il va tirer ses flèches jusqu'à ce
qu'il nous ait tous tués. Eh bien ! Tirons nos épées et abri-
tons-nous de cette pluie de mort en prenant les tables pour
boucliers. Jetons-nous ensemble sur lui et tâchons de l'écar-
ter du seuil et de la porte qu'il a fermée ; puis courons en
115 ville chercher du secours.

À ces mots, Eurymaque avec un cri sauvage tire son
glaive pointu. Mais au même instant, le divin Ulysse lui
décoche une flèche rapide qui s'enfonce au milieu de sa
poitrine et pénètre jusque dans le foie. Eurymaque lâche
120 son glaive, il chancelle et tombe en avant, le corps plié en
deux et s'affaisse sur la table ; dans sa chute, il renverse
la nourriture et la coupe à deux anses. Son front va frapper le sol ; son souffle devient rauque ; ses pieds heurtent
le siège sur lequel il était assis ; la vie l'abandonne, les
125 ténèbres de la mort couvrent ses yeux.

Alors, tirant son glaive à pointe, un des prétendants
bondit pour attaquer le glorieux Ulysse et dégager la

porte. Mais Télémaque, plus rapide, lui enfonce dans le
dos sa lance de bronze qui lui transperce la poitrine.

130   En deux bonds, Télémaque rejoignit son père qui lui dit :
– Cours, pendant que j'ai là mes flèches pour défense ;
rapporte-moi des armes avant qu'ils ne m'aient délogé de
la porte.

Télémaque alla dans la réserve où étaient rangées les
135   armes ; il prit quatre boucliers, quatre paires de piques,
quatre casques de bronze à l'épaisse crinière. Lui-même et
deux de ses fidèles serviteurs commencèrent par s'armer,
puis ils vinrent se placer en courant aux côtés d'Ulysse.

En attendant, Ulysse, tant qu'il avait ses flèches pour
140   défense, tirait dans la salle et abattait des prétendants qui
tombaient les uns après les autres. Puis il déposa son arc,
et prit les armes que Télémaque lui avaient apportées : il
couvrit ses épaules d'un bouclier à quatre couches de cuir,
et sa tête d'un casque de métal ; enfin, il prit en main les
145   deux robustes piques en bronze…

Entre-temps, les prétendants étaient allés eux aussi
chercher des armes dans la réserve : Télémaque avait
oublié d'en fermer la porte…

Les genoux et le cœur d'Ulysse défaillirent quand il les
150   vit couverts de bronze et brandissant leurs lances : la tâche
lui semblait trop lourde !

Les combattants étaient maintenant face à face : d'un
côté, alignés sur le seuil, Ulysse, Télémaque et leurs deux
serviteurs, le porcher Eumée et le gardien des bœufs aux
155   belles cornes ; de l'autre, dans la salle, la foule des prétendants.

Athéna vint alors à la rescousse, elle entra dans la salle, sous l'apparence de Mentor, le vieux compagnon d'Ulysse. Les prétendants l'arrêtèrent, le menaçant de mort. Mais
160 Athéna s'adressa à Ulysse :

– Ulysse, as-tu perdu ta force ? Tu as tué pourtant bien des soldats au cours de la guerre de Troie. Maintenant que tu es chez toi, ne te laisse pas intimider par ces prétendants ; je vais t'aider. Courage !

165 Puis, se changeant en hirondelle, elle alla se poser sur les poutres de la salle, toutes noircies par la fumée.

Le combat commença. Les prétendants lancèrent leurs longues piques sur Ulysse, mais Athéna les fit dévier toutes, tandis qu'Ulysse et ses trois compagnons touchaient chacun
170 leur cible.

Les prétendants, pris de panique, fuient comme un troupeau de bœufs tourmentés par des taons[7] agiles. Ulysse et ses amis les pourchassent ; on dirait des vautours aux serres crochues, au bec recourbé, qui se précipitent
175 du sommet des montagnes sur de faibles oiseaux… Ils frappent de tous côtés. Le palais retentit des horribles gémissements de ceux qu'on égorge, du bruit que font les crânes en se brisant ; et le sang coule à longs flots sur les pavés de la salle.

180 Il ne restait plus que deux prétendants : Liodès le devin[8] et l'aède Phémios. L'un et l'autre criaient grâce mais Ulysse n'eut pas de pitié pour le devin :

---

7. Taons : grosses mouches qui piquent les bœufs.
8. Devin : qui prédit l'avenir.

– Tu étais leur devin ? Alors tu as dû souvent prier pour empêcher mon retour et me prendre ma femme. Non, tu
185 n'échapperas pas à la mort !

Ramassant une épée, il la lui enfonce dans le cou.

Télémaque intervint en faveur de l'aède qui cherchait lui aussi à éviter la sombre mort, car il ne chantait que sous la contrainte devant les prétendants.

190 – Père, cet homme est innocent, ne le touche pas de ton épée et sauvons aussi Médon, le messager, qui s'est toujours occupé de moi quand j'étais petit. J'espère qu'il est encore vivant.

Médon l'entend et sort de sa cachette : il s'était blotti
195 sous un siège.

L'ingénieux Ulysse sourit et dit :

– Vous n'avez rien à craindre, Télémaque vous a sauvés. Maintenant sortez de la salle et asseyez-vous dans la cour, loin du sang.

200 Ulysse parcourt alors des yeux tous les recoins de la salle pour découvrir si l'un de ses ennemis, resté vivant, ne se cachait point pour échapper à la mort. Mais tous étaient couchés dans la boue et le sang : sous ses yeux, quelle foule ! On aurait dit des poissons que les pêcheurs ont jetés
205 sur le rivage après les avoir tirés de la mer écumante au moyen de leurs filets et qui, entassés sur le sable, meurent bientôt étouffés par la chaleur du soleil. C'est ainsi qu'en un tas, gisaient les prétendants, rendant leur dernier soupir.

Extraits des chants XIX, XXI et XXII.

QUESTIONS SUR LE TEXTE 13

AI-JE BIEN LU ?

1 a. Quelle épreuve Pénélope va-t-elle proposer aux prétendants ? Dans quel but ?
b. Quel est le seul homme qui peut la réussir ?
2 a. Quel prétendant Ulysse tue-t-il en premier ?
b. Quel sort réserve-t-il aux autres ?
3 a. Ulysse a-t-il retrouvé sa place dans sa demeure ?
b. De quel personnage doit-il encore se faire reconnaître ?

J'ANALYSE LE TEXTE

Le parcours d'Ulysse : la vengeance
....

— **L'épreuve de l'arc**
4 Relevez les deux comparaisons qui montrent qu'Ulysse connaît et maîtrise le maniement de son arc (l. 35 à 40).
5 Comment change-t-il d'apparence après sa victoire (l. 54 à 56) ?

— **La mort d'Antinoos et d'Eurymaque**
6 a. Quel geste Antinoos accomplit-il lorsqu'il est surpris par la mort ? Où est-il touché ? Par quelle arme (l. 61 à 74) ?
b. Relevez les deux champs lexicaux qui s'entrecroisent : montrez que la mort d'Antinoos marque la fin du festin.
c. Quelle est la réaction des autres prétendants ?
7 a. Par quelles paroles Eurymaque tente-t-il de sauver les autres prétendants de la mort (l. 95 à 102) ?
b. Quelle est la réponse d'Ulysse ?

— **Le combat et le massacre des prétendants**
8 a. Avant le face-à-face, par quel mot Ulysse désigne-t-il les prétendants (l. 87 à 92) ?
b. De quelles fautes les accuse-t-il ?

CARNET DE LECTURE

c. Quel terme, dans ce passage, montre que les prétendants vont être pris au piège ?

9 a. Quels personnages sont ensuite face à face ? Où sont-ils placés dans la salle (l. 152 à 156) ?

b. Les forces qui s'affrontent sont-elles égales en nombre ? Quelles sont les armes utilisées (l. 134 à 138) ?

c. Qui finalement se trouve en position de faiblesse (l. 167 à 179) ? Pourquoi ?

10 a. Relevez les comparaisons dans les lignes 171 à 175.

b. À qui Ulysse et les prétendants sont-ils successivement comparés ? Recopiez le tableau et complétez-le.

	Ulysse	Les prétendants
comparaison 1		
comparaison 2		

11 Quels personnages Ulysse épargne-t-il (l. 180 à 199) ? Pourquoi ?

Le récit épique

— Une scène de tuerie

12 Citez des expressions témoignant de la violence, de la sauvagerie de l'assaut (mort d'Antinoos, d'Eurymaque, massacre final) ?

13 À quel temps le récit est-il mené, lignes 116 à 129 ? Quel est l'effet produit ?

14 En quoi la vision finale est-elle terrifiante (l. 202 à 209) ? Quelle comparaison crée un effet de dramatisation ?

— L'intervention des dieux

15 a. Par quel signe Zeus intervient-il (l. 41 à 43) ? Est-il favorable à Ulysse ?

b. Quelle déesse vient en aide à Ulysse (l. 157 à 170) ? Sous quelles formes ?

c. Montrez qu'elle intervient à un moment où Ulysse est découragé. Quelles paroles lui dit-elle ?

— **Les images poétiques**

16 Expliquez les images suivantes :
a. « la flèche ailée » (l. 43)
b. « le sombre empire de la Mort » (l. 67-68) ; « cette pluie de mort » (l. 112) ; « les ténèbres de la mort » (l. 124-125).

Le personnage d'Ulysse

17 a. « Je chercherai à vous abattre tant que je n'aurai pas tiré ma complète vengeance » (l. 105 à 107). Quelle nouvelle image Ulysse donne-t-il de lui dans cette scène ?
b. Sa violence meurtrière est-elle justifiée ? approuvée par les dieux ?

J'ÉTUDIE LA LANGUE

Vocabulaire : autour du verbe « gésir »

18 « C'est ainsi qu'en un tas, gisaient les prétendants » (l. 207-208).

> La forme « gisaient » vient du verbe « gésir » qui signifie ici : être étendu sans mouvement.

a. Que signifie l'expression « Ci-gît », inscrite souvent sur les tombes ?
b. Trouvez les mots de la famille de « gésir » :
– On a trouvé un gis_ _ _ _t de pétrole.
– Ils passent leurs vacances dans un g_ _ e rural.

« Il tenait dans ses bras la femme de son cœur »

La servante Euryclée va prévenir Pénélope que le mendiant n'est autre qu'Ulysse et que tous les prétendants sont morts. Mais Pénélope ne sait si elle doit croire en ce retour si longtemps espéré...

La reine descendit de sa chambre. Quel trouble dans son cœur ! Elle se demandait si elle devait interroger son époux bien-aimé ou s'approcher de lui et l'embrasser.

Elle entra dans la salle et s'assit en face d'Ulysse, à la
5 lueur du feu. Les yeux baissés, sous la haute colonne, il attendait les mots qu'allait lui dire sa noble épouse en le voyant. Mais elle se taisait...

Elle resta longtemps à le regarder, et ses yeux tantôt croyaient reconnaître les traits d'Ulysse, tantôt ne voyaient
10 en lui que le mendiant.

Son fils s'écria :

– Tu es trop cruelle, mère ! pourquoi ne vas-tu pas t'asseoir auprès de mon père pour lui parler ? Quelle femme, après vingt ans de séparation, se tiendrait ainsi à distance
15 lorsque son mari revient ?... Ah ! ton cœur est plus dur que le rocher !

La plus sage[1] des femmes, Pénélope reprit :

– Mon enfant, je n'ai pas la force de dire un mot, de l'interroger, ni même le regarder dans les yeux ! Si vraiment

---

1. **Sage** : raisonnable.

20 c'est Ulysse qui rentre en sa maison, nous nous reconnaî-
trons, et sans peine, l'un l'autre, à des signes que nous
seuls connaissons.

À ces mots, le divin Ulysse eut un sourire. Il dit à Télémaque, ces mots ailés :

25 – Laisse donc, Télémaque ! ta mère veut me soumettre
à une nouvelle épreuve !... Mais ne t'inquiète pas, bientôt, elle pourra me reconnaître : pour le moment, je suis
sale, tu vois, et couvert de vieux vêtements. Voici ce que
je propose : allons prendre un bain, mettons des tuniques
30 propres et que les servantes se parent de leurs plus beaux
habits, comme pour une noce.

Ulysse au grand cœur est baigné et frotté d'huile. Une
servante l'a revêtu d'une tunique et d'une belle écharpe.
Sur sa tête, Athéna répandait la beauté ; sa chevelure était
35 bouclée, son visage rajeuni, il avait l'air d'un dieu.

Il reprit le fauteuil qu'il venait de quitter, face à sa
femme, et lui tint ce discours :

– Malheureuse ! jamais, je n'ai vu une femme au cœur
aussi sec. Eh bien !... puisqu'il en est ainsi, nourrice,
40 prépare-moi un lit : j'irai dormir tout seul. Elle est vraiment aussi dure que le fer.

Pénélope, la plus sage des femmes, répondit :

– Non ! je ne suis pas ainsi ; je te reconnais bien tel que tu
étais lorsque tu partis un jour, loin d'Ithaque, sur ton navire
45 aux longues rames... Allez, obéis-lui, Euryclée ! puisqu'il
veut dormir seul, déplace notre lit, celui qu'il a fabriqué
lui-même, hors de notre chambre aux solides murailles ;
mets-y des draps soyeux et des couvertures luisantes.

C'était là sa façon d'éprouver son époux car le lit cons-
50 truit par Ulysse ne pouvait être déplacé...

– Ô femme, qui donc a déplacé mon lit ? Le plus habile
n'aurait pas réussi sans le secours d'un dieu. Ce lit, c'est
moi seul qui l'ai fabriqué ; il a pour montant un tronc
d'olivier vigoureux dont les racines sont encore en plein
55 sol... J'ai construit autour de cet arbre les murs de notre
chambre ; j'ai ajouté un toit ; puis j'ai poli le bois du lit,
j'y ai incrusté de l'or, de l'argent et de l'ivoire, j'y ai tendu
des courroies d'un cuir rouge éclatant : ce fut notre lit de
noces. Et nous seuls savons cela, personne d'autre... Voilà
60 notre secret !... la preuve te suffit ?... Mais j'ignore si ce
lit est toujours à sa place ou si, pour le tirer ailleurs, on a
coupé le tronc de l'olivier.

Ainsi parla-t-il. Pénélope sentit défaillir ses genoux et
son cœur ; elle avait reconnu les signes évidents que lui
65 donnait Ulysse ; elle pleura, s'élança vers lui, jeta ses bras
autour de son cou, lui embrassa le visage : c'était lui, son
Ulysse. Elle dit :

– Ulysse, excuse-moi !... ne te fâche pas ; j'ai toujours su
que tu étais le plus sage des hommes ! Mais aujourd'hui,
70 pardonne-moi si je ne t'ai pas embrassé tout de suite en
te voyant. Dans le fond de mon cœur, j'avais toujours peur
qu'un homme ne vînt me tromper par ses discours. Mais
tu m'as convaincue ! la preuve est sans réplique ! tel est
bien notre lit ! toi seul pouvais ainsi le décrire.

75 Mais Ulysse, à ces mots, pris d'un vif besoin de sangloter,
pleurait.

Il tenait dans ses bras la femme de son cœur, sa fidèle compagne, toute charmante.

Extrait du chant XXIII.

Les deux époux se content leur histoire ; le lendemain Ulysse et Télémaque vont retrouver Laërte. Pour convaincre Laërte qu'il est bien Ulysse, son fils, le héros lui montre sa cicatrice.

Peu après, les parents et amis des prétendants morts au cours du massacre ont pris les armes pour se venger. Ulysse, Laërte et Télémaque, entourés de quelques serviteurs, les combattent avec violence. Athéna intervient pour faire cesser cette nouvelle guerre, les ennemis fuient, terrorisés : il est temps pour tous d'ouvrir une ère de paix.

AI-JE BIEN LU ?

1 Qui sont les trois personnages en présence au début de la scène, puis les deux par la suite ?

2 **a.** Pourquoi Pénélope veut-elle mettre à l'épreuve Ulysse ?
b. En quoi l'épreuve consiste-t-elle ?

3 Pénélope et Ulysse se retrouvent-ils à la fin de l'*Odyssée* ?

J'ANALYSE LE TEXTE

Le parcours d'Ulysse : les retrouvailles avec Pénélope
....

— **Une nouvelle apparence**

4 Sous quelle apparence Ulysse se présente-t-il à Pénélope au début de la scène ? Quelle épreuve vient-il de vivre ?

5 Quelle apparence Ulysse revêt-il une fois qu'il a pris un bain et qu'il s'est changé ? Citez le texte.

6 Quelle déesse est omniprésente pour Ulysse ?

— **Le lit chevillé**

7 **a.** Pourquoi le lit d'Ulysse ne peut-il être déplacé ?
b. Pourquoi Pénélope demande-t-elle à la servante de déplacer le lit hors de la chambre ?

8 Comment Ulysse réagit-il ? Est-il tombé dans le « piège » ?

— **La scène de reconnaissance**

9 **a.** Comment l'émotion de Pénélope se manifeste-t-elle (l. 63 à 67) ? Et celle d'Ulysse ?
b. Quel sentiment Ulysse et Pénélope continuent-ils d'éprouver l'un pour l'autre ?

Pénélope

....

10 Quelle épithète homérique caractérise Pénélope (l. 17) ?

11 L'épouse d'Ulysse est-elle aussi rusée que son mari ?

12 Pourquoi Pénélope est-elle devenue un symbole de fidélité ?

Conjugaison

....

13 « Ce lit, c'est moi seul qui l'ai fabriqué » (l. 52-53).

a. Identifiez le temps et le mode du verbe « fabriquer ».

b. Réécrivez la phrase en conjuguant le verbe à toutes les personnes et au même temps (« c'est moi qui..., c'est toi qui... »).

Faire le récit d'une aventure d'Ulysse

....

14 Ulysse raconte une de ses aventures à Pénélope.

> CONSIGNES D'ÉCRITURE
> • Choisissez l'aventure racontée.
> • Introduisez un dialogue : Pénélope pose des questions et fait des commentaires.
> • Ulysse met en avant les dangers qu'il a surmontés.

CARNET DE LECTURE

Pénélope et la condition des femmes chez Homère

La société grecque est une société patriarcale : le chef de famille est le père (*patèr* en grec) qui dispose d'une autorité absolue sur son épouse et ses enfants. La femme est considérée comme mineure : jeune fille, elle dépend de son père ; épouse, de son mari ; veuve, de son fils majeur, de son frère ou d'un tuteur désigné par son mari.

Cependant, dans l'œuvre d'Homère, les femmes disposent d'une relative liberté : Nausicaa peut ainsi sortir de la maison pour laver son linge au fleuve et n'hésite pas à parler avec un étranger ; de même, Pénélope reste vingt ans reine et maîtresse des biens de son époux absent, ce qui est exceptionnel. Malgré tout, son fils, devenu adulte, réclame son héritage et les prétendants la pressent de choisir un époux parmi eux. Pénélope doit donc rentrer dans le rang, se soumettre à l'autorité d'un époux et quitter la demeure d'Ulysse pour suivre un nouveau mari.

Tandis que l'homme passe son temps au-dehors (activités politiques, guerrières, professionnelles...), la femme est vraiment maîtresse à l'intérieur de la maison : elle dirige le travail des servantes, organise la vie quotidienne et règle les dépenses. Reine ou paysanne, elle file la laine et tisse sa toile, comme Pénélope en son palais.

BILAN DE LECTURE

Le passeport d'Ulysse

1 Établissez le passeport d'Ulysse.

Nom : ....   Né à : ....
Nom du père : ....   Nom de la mère : ....
Époux de : ....   Père de : ....
Fonction politique : ....   Caractère : ....
Sports : ....   Animal : ....
Visa : Troie (Asie Mineure)   Durée de validité : 20 ans.

Jeu de piste : d'île en île

2 Numérotez les îles en respectant la chronologie du parcours d'Ulysse, et reliez chaque personnage à son île.

N°	Îles	Personnages
	Île d'Aiaié	Dieu Soleil
	Île des Cyclopes	Calypso
	Île d'Ogygie	Nausicaa
	Île du Trident (Sicile)	Circé
	Île des Phéaciens	Femmes oiseaux
	Île des Vents	Polyphème
	Île des Sirènes	Éole

Ulysse, le séducteur

3 Précisez la nature des femmes tombées sous le charme d'Ulysse (mortelle, déesse, nymphe, magicienne...).

a. Athéna   **b.** Calypso   **c.** Circé
d. Nausicaa   **e.** Euryclée   **f.** Pénélope

Héraclès combat l'Hydre de Lerne (début Ve siècle av. J.-C.), amphore à col à figures noires. Paris, musée du Louvre.

Le héros face aux monstres

HÉLÈNE KÉRILLIS

Héraclès et l'Hydre de Lerne

Puni pour le meurtre involontaire de ses enfants, Héraclès, fils de Zeus et d'Alcmène, une mortelle, doit accomplir douze travaux : tuer l'Hydre de Lerne est le deuxième travail.

Dans les marais de Lerne[1] vivait une horrible créature. Personne ne savait à quoi ressemblait son corps : la bête restait plongée dans la vase. Par contre, ceux qui avaient pu apercevoir la tête la décrivaient ainsi :

5 – Elle en a neuf ou dix !

– Bien plus ! Au moins vingt !

– Ce sont des têtes de dragons avec des langues fourchues !

– Non ! Ce sont des têtes de serpents qui crachent le feu !

10 – Pas le feu ! Plutôt un souffle empoisonné : si on respire ça, on tombe raide mort…

C'était vrai : on ne comptait plus les victimes intoxiquées par ce monstre que l'on appelait l'Hydre[2] de Lerne.

Pour affronter une telle créature, il fallait un héros hors 15 du commun. C'était le cas d'Héraclès. Ses exploits étaient déjà célèbres dans toute la Grèce quand il arriva en Argolide[3], où se trouvait le marais de Lerne. Cependant, malgré sa force, il ne pourrait vaincre seul un pareil monstre. La déesse Athéna décida donc de lui venir en aide. D'abord, 20 elle lui procura une arme divine : un sabre à la lame

---

1. **Marais de Lerne :** marais situés dans le Péloponnèse, en Grèce.
2. **Hydre :** animal fabuleux en forme de serpent d'eau.
3. **Argolide :** région située au nord-est du Péloponnèse en Grèce.

recourbée. Ensuite, elle encouragea le jeune Iolaos, le neveu d'Héraclès, à faire une demande à son oncle :

– Je veux t'accompagner.

– C'est beaucoup trop dangereux !

25 – Justement, tu auras besoin d'un coup de main.

Iolaos insista tellement que son oncle finit par accepter. Les deux hommes se rendirent donc sur les lieux à cheval. Ils s'arrêtèrent à la lisière d'une grande forêt : les marécages de Lerne s'étendaient en contrebas. Le paysage

30 était lugubre[4] : des eaux sombres, de la vase et quelques touffes d'herbe grise qui survivaient à grand-peine.

Pas de trace de l'Hydre. Elle devait se cacher dans un trou d'eau.

Héraclès ordonna à son neveu :

35 – Attends-moi là avec les chevaux ! [...]

Héraclès revêtit la peau du lion de Némée[5], qui lui servait de cuirasse. Il prépara sa massue, ses flèches, et bien sûr l'arme spéciale offerte par Athéna, le sabre à lame courbe. Puis il descendit au bord du marais. Il lança

40 quelques pierres dans l'eau en criant :

– Holà ! L'Hydre ! M'entends-tu ?

Rien ne bougea. La bête se cachait bien. Héraclès savait que l'Hydre détestait la lumière et la chaleur. Il alluma un feu, enflamma ses flèches et les lança vers le marécage. Le

45 feu prit çà et là à cause des vapeurs[6] qui montaient des profondeurs du marais.

---

4. Lugubre : triste, sinistre.
5. Lion de Némée : lion tué par Héraclès à Némée en Argolide (premier des douze travaux).
6. Vapeurs des marais : gaz toxique et inflammable, issu de la décomposition des matières organiques dans l'eau.

Soudain, Héraclès vit la vase se soulever, éclater en bulles, et d'horribles têtes de serpents surgirent au bout de cous démesurés. L'Hydre de Lerne ouvrit grand ses
50 neuf gueules et une odeur épouvantable se répandit dans l'air. Héraclès cessa aussitôt de respirer. Il fallait abattre son adversaire très vite, sinon il mourrait en aspirant l'air empoisonné. Il jeta son arc, saisit le sabre et l'abattit sur les cous longs comme des serpents.

55 Tchac ! Tchac ! Tchac !

Trois coups, trois têtes coupées ! Héraclès s'attaquait à la quatrième lorsqu'il vit avec horreur que là où il avait coupé une tête, il en repoussait deux !

Incapable de continuer sans respirer, il quitta le bord du
60 marais en courant et rejoignit Iolaos. Tandis qu'il reprenait son souffle, son neveu lui dit :

– Il faut empêcher les têtes de repousser, sinon tu n'y arriveras jamais.

– Comment faire ?

65 – En brûlant les chairs ! Tu coupes, je brûle. Tu es d'accord ?

– Je vois que tu ne manques pas de courage. D'accord !

Tout fier de participer au combat, Iolaos mit de longues branches à rougir au feu. L'Hydre s'agitait de plus en plus,
70 sifflant de toutes ses têtes, furieuse de sentir des flammes tout près de son territoire.

– Prêt ! déclara Iolaos.

Respiration bloquée, Héraclès relança l'attaque.

Tchac ! Tchac ! Tchac !

75 Les têtes tombaient, Iolaos brûlait les cous, rien ne repoussait après. Il ne restait plus qu'une tête à couper lorsqu'un énorme crabe ferma sa pince sur la jambe d'Héraclès. Le héros faillit crier et donc respirer. Il réussit à écraser la bête de tout son poids sans ouvrir la bouche.

80 Mais c'était un tel effort qu'il dut fuir pour souffler. Iolaos fit de même.

– Athéna m'a prévenu, dit Héraclès. La dernière tête est immortelle.

– Alors on ne va pas gagner ?

85 – Si ! J'ai mon idée. Dépêchons-nous, l'Hydre est capable de disparaître sous la vase et de nous échapper.

Cette fois, le héros saisit sa massue et se jeta à nouveau sur le monstre. Avec une force prodigieuse, il frappa la tête immortelle. L'Hydre s'effondra, assommée. Héraclès tira

90 alors la tête hors de la vase et la trancha d'un coup de sabre. Cette fois, rien ne repoussa et le grand corps informe s'enfonça, mort, dans les profondeurs du marécage.

– Victoire ! cria Iolaos.

– Pas trop vite…, dit son oncle.

95 En effet, la tête immortelle reprenait connaissance. Elle se mit à siffler en tournant sur elle-même à toute vitesse. Alors Héraclès souleva un énorme bloc de pierre et l'abattit sur la tête de l'Hydre, la coinçant pour toujours sous un poids écrasant. L'horrible créature était vaincue. […]

Hélène Kérillis, extrait de *Des monstres
et des héros* © Hatier, 2013.

QUESTIONS

AI-JE BIEN LU ?

1 Qui est l'Hydre de Lerne ?

2 Comment ce monstre tue-t-il ses victimes ?

3 Pourquoi Athéna vient-elle en aide à Héraclès ?

4 **a.** Le combat contre le monstre est-il facile ?

b. Héraclès vient-il à bout du monstre ?

J'ANALYSE LE TEXTE

Un héros épique

··

> Dans la mythologie, un « héros » est un **demi-dieu** : l'un de ses parents est un dieu, l'autre un simple mortel.

5 Héraclès est-il un demi-dieu ? Aidez-vous du hors-texte (chapeau introductif).

6 Quelle qualité hors du commun a fait la réputation d'Héraclès (l. 14 à 18) ?

7 Quel personnage l'accompagne dans son exploit ?

Le monstre

··

8 Dans quelle région de Grèce l'Hydre de Lerne vit-elle ? Dans quel lieu précis ? Relevez les termes qui caractérisent ce lieu.

9 Quelles expressions décrivent l'Hydre de Lerne comme « une horrible créature » (l. 1 à 13 et 47 à 51) ?

Le combat

··

10 **a.** De quelles armes le héros s'équipe-t-il (l. 36 à 40) ? Laquelle lui a été donnée par Athéna ?

b. Quelles difficultés successives doit-il vaincre ? Comment y réussit-il ? Grâce à quelles qualités ?

CARNET DE LECTURE

J'ÉTUDIE LA LANGUE

Vocabulaire : autour du mot « héros »

....

Le nom « **héros** » a quatre sens :
– personnage qui se distingue par un grand acte de courage ;
– personnage légendaire qui réalise des exploits extraordinaires ;
– demi-dieu de la mythologie ;
– personnage principal d'un roman, d'un film.

11 Retrouvez le sens du mot « héros » dans chacune des phrases :

a. Ce jeune homme a sauvé un enfant de la noyade, il s'est conduit en **héros**.

b. Ulysse est le **héros** de l'*Odyssée*.

c. Héraclès est un **héros** célèbre pour son courage et sa force.

d. La mythologie grecque met aux prises les dieux, les **héros** et les mortels.

POUR ALLER PLUS LOIN

Faire un exposé oral

....

12 Mettez-vous par groupes de deux. Faites une recherche sur les douze travaux d'Héraclès, puis chaque groupe exposera son travail aux autres.

CONSIGNES D'ÉCRITURE
• Ne lisez pas vos notes.
• Rendez l'exposé vivant en vous répartissant la parole.

PIERRE GRIMAL

Persée sauve Andromède

Persée est le fils de Zeus et de Danaé, la fille du roi d'Argos (en Grèce). Il vient de couper la tête de Méduse, une des trois sœurs Gorgones. Ces créatures monstrueuses ont une chevelure de serpent ; elles ont le pouvoir de transformer en statue de pierre quiconque les regarde en face.

Du sang de Méduse s'est échappé un splendide cheval ailé, Pégase ; Persée l'a enfourché après avoir mis la tête de Méduse dans un sac, et s'est envolé à travers les airs pour rentrer chez lui, en Grèce.

Persée traversa l'Éthiopie[1]. Là, il se trouva soudain en face d'un spectacle étrange. Une jeune fille, d'une grande beauté, était enchaînée à un rocher, sur le bord de la mer. À quelque distance, une foule considérable demeurait
5 silencieuse, autour d'un homme et d'une femme[2] en vête-ments de deuil. Tout le monde semblait attendre. La jeune fille enchaînée avait beaucoup pleuré, mais, maintenant, elle semblait abattue et ne faisait pas un geste. Persée, que ses sandales ailées[3] soutenaient dans les airs, vit soudain
10 un grand remous dans les vagues ; un dos noir, écailleux, puis un long cou de serpent, que terminait une tête au regard cruel, sortirent de la mer. Quand elle découvrit,

---

1. Éthiopie : État de l'est de l'Afrique. Persée vient du site de Gibraltar, où se trouve le royaume des Méduses.
2. Autour d'un homme et d'une femme : il s'agit des parents de la jeune fille.
3. Sandales ailées : les Nymphes du Styx (fleuve des Enfers) ont donné à Persée des sandales ailées.

au loin, la prisonnière, la bête commença de ramper vers elle ; sa tête se balançait horriblement, mais ses yeux ne la quittaient pas un instant. Dans la foule s'éleva un sanglot, au milieu du silence. Instinctivement, plusieurs spectateurs détournèrent la tête. Alors, d'un geste brusque, Persée sortit du sac la tête de Méduse et, pareil à un oiseau de proie, fondit vers le monstre. La bête le sentit venir – sans doute avait-elle aperçu l'ombre qu'il faisait sur la Terre. Au même moment, quelques personnes dans la foule avaient vu le prodige. Elles poussèrent un grand cri. Persée, maintenant, planait au-dessus de la bête qui s'était arrêtée. On eut l'impression qu'elle s'engourdissait peu à peu ; sa longue queue se figea, immobile, sa tête cessa d'osciller, les vagues vinrent se briser contre son corps énorme, mais elle ne s'en souciait plus ; ce n'était maintenant qu'un rocher qui ne dévorerait plus personne. La tête de Méduse, même coupée, conservait son pouvoir mystérieux ; c'est elle qui avait transformé en pierre la bête marine. Tout danger écarté, Persée se hâta de secourir la jeune fille qui s'était évanouie de frayeur. Il la prit dans ses bras, mais déjà la foule accourait et l'on brisait les chaînes. Et Persée, au milieu des transports de joie[4], apprit toute l'aventure.

La jeune fille qu'il venait de sauver d'une mort affreuse s'appelait, lui dit-on, Andromède. Elle était fille du roi d'Éthiopie, Céphée, et sa mère, Cassiopée, était la cause involontaire de son malheur. Un jour, Cassiopée avait

---

4. Transports de joie : explosions de joie.

40 prétendu que sa fille était plus belle que les Néréides,
qui sont des nymphes marines, et les Néréides, piquées
au vif, avaient demandé à Poséidon de les venger. Poséidon, complaisant[5], avait envoyé un monstre ravager le
royaume de Céphée. Ce monstre avait coutume de sortir
45 de la mer à l'improviste et d'enlever tous les êtres vivants
rencontrés sur le rivage. Céphée finit par consulter
l'oracle[6], et il lui fut révélé que le fléau[7] cesserait à la
condition de livrer Andromède au monstre. Le roi voulut
cacher à son peuple la réponse de l'oracle, mais les Éthio-
50 piens découvrirent la vérité et imposèrent cet horrible
sacrifice. Grâce à Persée, tout s'était heureusement
terminé. Dans sa joie, Céphée offrit au héros la main de
celle qui lui devait la vie, et Persée, qui avait été fort ému
par les malheurs de la belle Andromède, ne se fit pas prier
55 pour l'accepter.

Pierre Grimal, *Petite histoire de la mythologie et des dieux*, DR.

---

5. **Complaisant :** ici, obéissant.
6. **Oracle :** devin qui prédit l'avenir, inspiré par les dieux.
7. **Fléau :** grande calamité.

AI-JE BIEN LU ?

1 Qui est Persée ? Est-il un dieu, un mortel ou un demi-dieu ?

2 **a.** Qui est Méduse ? Quel est son pouvoir ?

b. Où Persée a-il mis sa tête ?

3 **a.** Dans quel pays Persée se rend-il ?

b. Quel personnage sauve-t-il ? De quel danger ?

J'ANALYSE LE TEXTE

Le monstre marin et Andromède

4 **a.** Décrivez le monstre (l. 10 à 17 et 24 à 27).

b. De quelle façon le monstre s'avance-t-il vers sa proie ? Relevez les verbes de mouvement et la notation de regard (l. 12 à 15).

5 Quels ravages ce monstre cause-t-il (l. 44 à 46) ?

6 **a.** Pourquoi le monstre a-t-il fait d'Andromède sa victime ?

b. Dans quel état est-elle avant l'arrivée de Persée (l. 6 à 8) et au moment où Persée vient la sauver (l. 31-32) ?

L'exploit de Persée

7 Comment Persée se déplace-t-il ?

8 **a.** À quoi est-il comparé lorsqu'il fond sur le monstre (l. 17 à 19) ?

b. Comment réussit-il à le vaincre ?

c. Relevez les termes qui montrent l'immobilisation progressive de la bête (l. 24 à 28).

d. En quoi la bête est-elle métamorphosée ? Citez le texte.

9 Notez les différentes réactions des témoins (l. 19 à 35).

J. R. R. TOLKIEN

Bard contre le dragon Smaug

Dans la Terre du Milieu[1], la cité lacustre de Bourg-du-Lac est atta-
quée par Smaug, un gigantesque dragon, qui vit sous la Montagne
Solitaire. Bard, un descendant des anciens seigneurs de la région,
défend la ville à la tête d'une compagnie d'archers.

Le feu jaillit des mâchoires du dragon. Celui-ci tournoya
quelques instants dans les airs, loin au-dessus d'eux, illu-
minant tout le lac ; les arbres sur les rives prenaient des
reflets de cuivre et de sang, tandis que des ombres noires
5 et opaques bondissaient à leurs pieds. Alors il piqua droit
à travers la grêle de flèches, téméraire dans sa rage, négli-
geant de tourner ses flancs écailleux vers ses adversaires,
cherchant seulement à incendier leur ville.

[...]

La ville flambe ; ses habitants s'enfuient en bateaux...

10 Mais il y avait encore une compagnie d'archers qui tenait
bon parmi les maisons en flammes. Leur capitaine était
Bard, à la voix et au visage sévères, que ses amis accusaient
de prophétiser des inondations et du poisson empoisonné,
même s'ils connaissaient sa valeur et son courage. [...]

---

1. La Terre du Milieu : lieu mythique, renvoyant à une époque ancienne, où se déroulent
les aventures du Hobbit.

Maniant un grand arc en bois d'if, il avait tiré toutes ses flèches jusqu'à ce qu'il ne lui en reste plus qu'une seule. Le feu s'approchait. Ses compagnons désertaient. Il banda son arc pour la dernière fois.

Soudain, quelque chose sortit des ténèbres et voleta jusqu'à son épaule. Il tressaillit – mais ce n'était qu'une vieille grive[2]. Sans prendre peur, elle se percha tout près de son oreille et lui apporta des nouvelles. Il constata avec émerveillement qu'il pouvait comprendre sa langue ; car il était de la lignée du Val[3].

« Attends ! Attends !, lui dit-elle. La lune monte. Regarde sous son aisselle[4] gauche au moment où il te survole et tournoie ! » [...]

Bard tendit alors la corde de son arc jusqu'à son oreille. Le dragon revint vers lui, décrivant des cercles à basse altitude. La lune se leva sur la rive orientale et ses ailes revêtirent un éclat argenté.

« Flèche !, dit l'archer. Ma flèche noire ! Je t'ai gardée pour la toute fin. Tu ne m'as jamais fait défaut[5] et je t'ai toujours récupérée. Tu m'as été léguée par mon père comme ses pères t'avaient léguée. S'il est vrai que tu es issue des forges du véritable roi[6] sous la Montagne, va sans tarder et ne t'égare point ! »

Le dragon fondit de nouveau sur lui, descendant plus bas que jamais, et au moment où il tournait et plongeait

---

2. Grive : petit oiseau proche du merle noir.
3. Val : cité des ancêtres de Bard, détruite par Smaug deux siècles auparavant.
4. Sous son aisselle : sous la patte du dragon.
5. Tu ne m'as jamais fait défaut : tu as toujours été là quand il le fallait.
6. Véritable roi : roi des Nains, anciens occupants de la Montagne Solitaire, chassés par Smaug.

40 dans le clair de lune, son ventre nacré scintilla du feu étincelant des joyaux[7] – sauf en un endroit. Le grand arc vibra. La flèche noire partit tout droit de la corde et fila vers l'aisselle gauche où la patte de devant était tendue. Elle s'y enfonça de la pointe à la plume, et, dans sa course
45 effrénée, disparut. Avec un cri qui assourdit tous ceux qui l'entendirent, qui abattit les arbres, fendit la pierre, Smaug s'élança vers le ciel, vomissant, puis chavira et s'écrasa du haut des airs.

Il retomba en plein sur la ville. Ses derniers soubresauts
50 la réduisirent en un nuage d'étincelles et de braises. Une grande vapeur s'éleva, blanche dans l'obscurité soudaine au clair de lune. Il y eut un puissant sifflement, un violent tourbillon, puis ce fut le silence. Et ce fut la fin de Smaug et d'Esgaroth[8], mais non de Bard.

J. R. R. Tolkien, extrait du *Hobbit*, traduit de l'anglais
par Daniel Lauzon, © éditions Bourgois, 2012.

---

7. **Joyaux :** pierreries incrustées dans le poitrail de Smaug et lui servant de cuirasse.
8. **Esgaroth :** autre nom de Bourg-du-Lac.

1 Dans quel lieu la scène se déroule-t-elle ?

2 Quel monstre attaque la ville ?

3 Qui la défend ? Avec quelle arme ?

4 Quel animal vient en aide au héros ? De quelle manière ?

5 Le héros vient-il à bout du monstre ?

J'ANALYSE LE TEXTE

Un combat épique

— **Le monstre**

6 **a.** Quels sont les caractéristiques physiques du monstre ? Citez le texte (l. 1 à 8).

b. Pourquoi paraît-il invincible aux habitants de la ville ?

— **Le héros Bard**

7 **a.** Qui est Bard ? Quelles qualités et défauts lui reconnaissent les soldats de sa compagnie ?

b. Quel acte courageux accomplit-il (l. 15 à 18) ?

8 **a.** En quoi la grive est-elle merveilleuse ?

b. En quoi la flèche noire est-elle précieuse pour Bard ?

9 Relevez le vocabulaire de la violence, des couleurs, des lumières et du bruit dans les lignes 38 à 54.

VICTOR HUGO

Le combat de Gilliatt contre la pieuvre

Le pêcheur Gilliatt est à la recherche d'une épave qui a été emportée par une pieuvre géante. À un certain moment, il plonge la main dans la fissure d'un rocher pour y attraper un crabe, afin de s'en nourrir...

Ce qu'il éprouva en ce moment, c'est l'horreur indescriptible.

Quelque chose qui était mince, âpre, plat, glacé, gluant et vivant venait de se tordre dans l'ombre autour de
5 son bras nu. Cela lui montait vers la poitrine. En moins d'une seconde, on ne sait quelle spirale lui avait envahi le poignet et le coude et touchait l'épaule.

Elle était souple comme le cuir, solide comme l'acier, froide comme la nuit.

10 Une deuxième lanière, étroite et aiguë, sortit de la crevasse du roc. C'était comme une langue hors d'une gueule. Elle lécha épouvantablement le torse nu de Gilliatt, et tout à coup s'allongeant, démesurée et fine, elle s'appliqua sur sa peau et lui entoura tout le corps.

15 En même temps une souffrance inouïe, comparable à rien, soulevait les muscles crispés de Gilliatt. Il sentait dans sa peau des enfoncements ronds, horribles. Il lui semblait que d'innombrables lèvres, collées à sa chair, cherchaient à lui boire le sang.

20 Brusquement une large viscosité[1] ronde et plate sortit de dessous la crevasse. C'était le centre ; les cinq lanières s'y rattachaient comme des rayons à un moyeu[2].

Au milieu de cette viscosité il y avait deux yeux qui regardaient.

25 Ces yeux voyaient Gilliatt.

Gilliatt reconnut la pieuvre.

Gilliatt avait enfoncé son bras dans le trou ; la pieuvre l'avait happé[3].

Elle le tenait.

30 Il était la mouche de cette araignée.

Gilliatt était dans l'eau jusqu'à la ceinture, les pieds crispés sur la rondeur des galets glissants. Des huit bras de la pieuvre, trois adhéraient à la roche, cinq adhéraient à Gilliatt. De cette façon, cramponnée d'un côté au granit,
35 de l'autre à l'homme, elle enchaînait Gilliatt au rocher. Gilliatt avait sur lui deux cent cinquante suçoirs.

On ne s'arrache pas à la pieuvre. Si on l'essaie, on est plus sûrement lié. Elle ne fait que se resserrer davantage.

Gilliatt n'avait qu'une ressource, son couteau. [...]
40 On ne coupe pas les antennes[4] de la pieuvre ; c'est un cuir impossible à trancher, il glisse sous la lame ; d'ailleurs la superposition est telle qu'une entaille à ces lanières entamerait votre chair.

Le poulpe n'est vulnérable qu'à la tête.

45 Gilliatt ne l'ignorait point.

---

1. **Viscosité :** masse collante.
2. **Moyeu :** partie centrale d'une roue, d'où partent les rayons.
3. **Happé :** attrapé avec rapidité et violence.
4. **Antennes :** bras de la pieuvre.

Pour la pieuvre comme pour le taureau il y a un moment qu'il faut saisir ; c'est l'instant où le taureau baisse le cou, c'est l'instant où la pieuvre avance la tête ; instant rapide. Qui manque ce joint est perdu.

50   Il regardait la pieuvre, qui le regardait.

Tout à coup la bête détacha du rocher sa sixième antenne, et, la lançant sur Gilliatt, tâcha de lui saisir le bras gauche.

En même temps elle avança vivement la tête. Une seconde de plus, sa bouche s'appliquait sur la poitrine de 55 Gilliatt. Gilliatt, saigné au flanc, et les deux bras garrottés[5], était mort.

Mais Gilliatt veillait. Guetté, il guettait.

Il évita l'antenne, et, au moment où la bête allait mordre sa poitrine, son poing armé s'abattit sur la bête.

60   Il y eut deux convulsions en sens inverse, celle de la pieuvre et celle de Gilliatt.

Ce fut comme la lutte de deux éclairs.

Gilliatt plongea la pointe de son couteau dans la viscosité plate, et, d'un mouvement giratoire[6] pareil à la torsion 65 d'un coup de fouet, faisant un cercle autour des deux yeux, il arracha la tête comme on arrache une dent.

Ce fut fini.

Toute la bête tomba.

Cela ressembla à un linge qui se détache. Les quatre 70 cents ventouses lâchèrent à la fois le rocher et l'homme. Ce haillon coula au fond de l'eau.

Victor Hugo, *Les Travailleurs de la Mer* (1866), deuxième partie :
« Gilliatt le malin », livre quatrième, chapitre III.

---

5. Garrottés : attachés fortement.   **6. Giratoire :** circulaire.

QUESTIONS

AI-JE BIEN LU ?

1 Où Gilliatt se trouve-t-il ?

2 Quel animal doit-il affronter ?

3 Pourquoi est-il en grande difficulté ?

4 Comment vient-il à bout de l'animal ?

J'ANALYSE LE TEXTE

La pieuvre

....

5 **a.** De quels principaux éléments une pieuvre est-elle consti-tuée ?

b. Quel autre nom est donné à la pieuvre (l. 44) ?

6 **a.** « Des huit bras de la pieuvre, trois adhéraient à la roche » (l. 32-33). Quels sont les différents termes utilisés pour désigner les « bras » de la pieuvre (l. 10 et 40) ?

b. Relevez les mots et les comparaisons qui les décrivent (l. 3 à 22).

7 Comment la pieuvre tue-t-elle ses victimes ?

8 **a.** Que se passe-t-il si l'on cherche à s'arracher à la pieuvre?

b. Peut-on couper ses antennes ?

c. Où la pieuvre est-elle vulnérable ? Quel est l'instant qu'il faut saisir pour la tuer ?

Le face-à-face

....

— Un adversaire redoutable

9 Au début, Gilliatt sait-il qu'il a affaire à une pieuvre ? Où celle-ci se cache-t-elle ?

> On distingue les sensations visuelles (vue), auditives (ouïe), tactiles (toucher), gustatives (goût), olfactives (odorat).

151

10 **a.** Montrez que le narrateur décrit la pieuvre à travers les sensations qu'éprouve Gilliatt.

b. À partir de quel moment Gilliatt identifie-t-il l'animal ?

> La **métaphore** est une image qui n'utilise pas d'outil de comparaison (« comme »).

11 **a.** Expliquez la métaphore : « Il était la mouche de cette araignée » (l. 30).

b. Montrez, en vous appuyant sur le texte, que Gilliatt est effectivement en danger de mort.

c. Quelles expressions traduisent sa souffrance ?

— La mise à mort

12 Montrez, en citant le texte, que la victoire sur la pieuvre n'est qu'une question de secondes (l. 46 à 59).

13 **a.** Comment Gilliatt arrache-t-il la tête de la pieuvre ? Relevez la comparaison utilisée (l. 63 à 66).

b. À quoi la pieuvre morte est-elle comparée ?

14 Quel effet ce texte a-t-il produit sur vous ?

'Odyssée, source 'inspiration artistique

En tant que mythe fondateur, le récit d'Homère a servi de support à de nombreuses œuvres d'art, depuis l'Antiquité jusqu'à nos jours, dans des domaines divers : céramique, sculpture, peinture, gravure.

1. Les arts du quotidien : la céramique

Le nom « céramique » vient du grec *kéramikos* qui signifie « argile ». On désigne par céramique l'art de la poterie. Il reste quelques céramiques grecques qui racontent les aventures d'Ulysse.

▬ La poterie

La poterie athénienne s'est développée à partir du VIe siècle avant Jésus-Christ. Elle est l'œuvre des artistes potiers et peintres. Les potiers façonnaient avec de l'argile des vases dont la forme, la taille et le volume variaient selon l'utilisation qui en était faite.

Dans les cratères, vases à large ouverture, on mélangeait le vin et l'eau, que l'on transférait dans un pot appelé *oenochoé* ; ce pot, muni d'un bec verseur, permettait de transvaser la boisson dans les coupes à boire. Le cratère en cloche ressemble à une cloche retournée. Son corps, très large et dépourvu de col, est doté de petites anses horizontales en position haute.

Les amphores (p. 133), de forme ovale, servaient à conserver les aliments ; les *stamnos* étaient des cruches à vin, les hydries des cruches à eau à trois anses ; les lécythes des vases très élancés à une seule anse qui contenaient des huiles parfumées.

— La décoration

Les peintres décorent les vases de motifs variés : scènes mytholo-
giques, scènes de la vie quotidienne, jeux sportifs... Ils jouent avec
deux couleurs : le noir du vernis et la gamme des rouges née de la
cuisson de l'argile.

On distingue deux techniques de décoration :

– dans la plus ancienne, les figures sont gravées et peintes avec un
vernis noir sur fond de terre cuite. À la cuisson, seul le fond reste
rouge, couleur de l'argile du vase.

– par la suite apparaît la technique de la figure rouge sur fond noir
(vers 530-520 avant J.-C) : les peintres enduisent le vase de vernis
noir à l'exception des figures qui, laissées en réserve, gardent, après
cuisson, la couleur de l'argile. L'artiste travaille ensuite les détails au
pinceau. Avec cette technique, l'expression des visages et le détail
des corps et des drapés sont mieux rendus.

La scène de l'aveuglement du Cyclope (Texte 7) a été peinte sur des
vases dès le début du VIIe siècle. Cette façon de condenser plusieurs
étapes de l'histoire dans une seule image est particulièrement inté-
ressante et typique de l'art grec archaïque (vers 800-490 av. J.-C.).

▶ LE QUESTIONNAIRE ASSOCIÉ À CETTE IMAGE SE TROUVE P. 156

2. Les arts du visuel : peinture et sculpture

— La peinture et la gravure

Certains artistes des XIXe et XXe siècles ont illustré des scènes de
l'*Odyssée*. Au XIXe siècle, le peintre Gustave Boulanger (1824-1888)
remporte le Prix de Rome de peinture d'histoire avec son tableau
Ulysse reconnu par sa nourrice Euryclée (1849).

▶ LE QUESTIONNAIRE ASSOCIÉ À CETTE IMAGE SE TROUVE P. 157

Au xxᵉ siècle, Bernard Buffet (1928-1999), peintre et dessinateur français, réalise un tableau intitulé *L'Odyssée, L'arc d'Ulysse* (1993) qui illustre la scène de l'épreuve de l'arc (p. 115). La peinture de Bernard Buffet est caractérisée par la représentation de personnages maigres et allongés, un dessin aigu et nerveux et une palette de couleurs souvent dominée par les gris, les noirs et les beiges.

De nombreux artistes ont illustré l'*Odyssée* en utilisant la technique de la gravure (reproduction imprimée d'un dessin) : Theodore Devilly (1842) représente Ulysse s'échappant de la grotte du Cyclope Polyphème (p. 64) ; Olivier (1907) dépeint la tempête après qu'Ulysse a quitté l'île de Calypso (p. 29). L'illustration permet au lecteur de visualiser la scène.

▬ La sculpture

Durant la période géométrique (vers 1100-800 av. J.-C.), les sculptures reproduisent des figures raides : il s'agit principalement de figurines en bronze qui appartiennent à l'art dit géométrique. Les motifs les plus courants sont des chevaux et des cerfs ; on trouve aussi des figures humaines telles l'aède jouant de la lyre (p. 11).

> ▶ LE QUESTIONNAIRE ASSOCIÉ À CETTE IMAGE FIGURE P. 158

La figure des monstres est un motif d'inspiration privilégié pour les artistes. Une tête du géant Polyphème (p. 59), à l'œil unique, date de la période dite hellénistique (vers 338-31 avant J.-C), période au cours de laquelle la civilisation grecque est pénétrée d'influences orientales. Les sculpteurs s'attachent à exprimer la violence des expressions et les mouvements.

ÉTUDIER UNE CÉRAMIQUE GRECQUE

Vous trouverez la coupe en céramique, représentant Ulysse et ses compagnons aveuglant Polyphème, en 2ᵉ de couverture de cet ouvrage.

L'IDENTIFICATION DE LA CÉRAMIQUE

> Ce vase est une coupe en terre cuite ou kylix, qu'on utilisait dans les banquets pour déguster du vin. La coupe est vue de haut, elle comporte un pied.

1 **a.** Identifiez la date de l'œuvre, sa taille, son lieu de conservation et le peintre à qui elle est attribuée.
b. Quelle est la technique utilisée (couleur du fond et des figures) ?

LA SCÈNE REPRÉSENTÉE (VOIR TEXTE 7)

2 Quelle est la scène représentée ?
3 **a.** Qui est le personnage assis à droite?
b. Que tient-il dans chacune de ses mains ? Pourquoi ?
c. Quel objet lui est tendu ?
4 Qui sont les quatre personnages à gauche ? Repérez Ulysse (traditionnellement reconnaissable à sa barbe). Que font-ils ?
5 Quels sont les trois moments de l'histoire réunis en une image ?

LES ANIMAUX SYMBOLIQUES

6 **a.** Quels sont les animaux représentés ?
b. Lequel est menaçant ? Envers qui ?
7 **a.** À quel dieu peut-on associer l'animal marin ?
b. Quel rôle ce dieu joue-t-il dans le retour d'Ulysse ? Pourquoi ?
c. Quel élément identifiez-vous devant la bouche du poisson ? Expliquez sa présence ici. (Référez-vous au texte 7.)

Ulysse reconnu par Euryclée, G. Boulanger

Vous trouverez une reproduction du tableau de Gustave Boulanger en 3ᵉ de couverture de cet ouvrage.

LA NATURE DE L'ŒUVRE ET LA SCÈNE REPRÉSENTÉE

1 **a.** Indiquez l'auteur du tableau, sa date, ses dimensions.
b. Quelle est la technique utilisée ?

2 Identifiez Ulysse, Euryclée, Pénélope, la servante. À quel indice reconnaissez-vous Pénélope, reine d'Ithaque ?

3 Dans quel lieu la scène se situe-t-elle ? Décrivez ce lieu.

4 **a.** Rappelez pourquoi Ulysse ne dévoile pas son identité au moment de son retour à Ithaque.
b. Quel moment l'artiste a-t-il représenté ?

LA COMPOSITION ET LES PERSONNAGES

5 **a.** Dans quelles parties de l'espace le groupe Ulysse/Pénélope et le groupe des servantes sont-ils situés respectivement ?
b. Quel élément architectural sépare ces deux groupes ?

6 **a.** Quelle place Ulysse occupe-t-il dans l'espace ?
b. Quel élément est mis en valeur au premier plan ? Pourquoi ?
c. Quel type de paysage aperçoit-on à l'arrière-plan ?

7 Décrivez l'attitude d'Ulysse, d'Euryclée, de Pénélope. Quel sentiment lit-on sur le visage de chacun d'eux ?

8 Rappelez la ruse que Pénélope a imaginée pour retarder son mariage avec un des prétendants. Comment la servante (à l'arrière-plan) participe-t-elle à cette ruse ?

9 **a.** Décrivez les vêtements et les coiffures des personnages.
b. Observez les drapés des tissus, les muscles d'Ulysse. Comment sont-ils rendus par l'artiste ?

10 Le tableau vous semble-t-il fidèle au texte ? Justifiez.

ÉTUDIER UNE SCULPTURE ET UNE AMPHORE

J'ÉTUDIE UNE SCULPTURE (P. 11)

1 À quelle époque la statuette a-t-elle été réalisée ? avec quel matériau ?

2 **a.** Qu'est-ce qu'un aède ? Quel instrument tient-il entre ses mains ?

b. Dans quelle position est-il ?

c. Pourquoi sa bouche est-elle entrouverte ? Que fait-il ?

3 Les proportions sont-elles respectées ? En quoi cette statuette est-elle de style « géométrique » ?

4 Aimez-vous cette œuvre d'art ? Vous semble-t-elle bien choisie en introduction de l'*Odyssée* ? Justifiez votre réponse.

J'ÉTUDIE UNE AMPHORE (P. 133)

L'identification du vase

1 Quel est le nom du vase ? À quoi servait-il ? De quand date-t-il ?

2 Décrivez sa forme.

3 Quelle est la couleur du fond ? des personnages ?

4 Quelle frise orne le col du vase ?

La scène représentée

5 **a.** Décrivez Héraclès. De quelle peau de bête est-il revêtu ?

b. Qui combat-il ? Avec quelle arme ?

6 **a.** Comment le peintre a-t-il rendu la force et le mouvement du héros ?

b. Et comment a-t-il rendu l'Hydre effrayante ?

c. Voit-on qui va l'emporter ?

7 Observez le dessin. Est-il précis ? Est-il détaillé ? Donnez des exemples.

INDEX

Les notions

Les exercices sur la langue

Les exercices d'écriture

Le saviez-vous ?

Pour aller plus loin

TABLE ICONOGRAPHIQUE

plat 2	ph © Aisa / Leemage
plat 3	ph © Erich Lessing / Akg-Images
2 à 158 (frise)	ph © Archives Hatier
11	ph © Erich Lessing / Akg-Images
29	ph © Coll. MA / Kharbine-Tapabor
59	ph © Bridgeman Images
64	ph © Coll. Jonas / Kharbine-Tapabor
73	ph © De Agostini Picture Lib. / Akg-Images
83	ph © Costa / Leemage
87	ph © PVDE / Rue des Archives
115	ph © Fonds de Dotation Bernard Buffet
133	ph © Hervé Lewandowski / RMN-GP
153	ph © Oronoz / Album / Akg-Images

Iconographie : Hatier Illustrations
Graphisme : Mecano – Laurent Batard
Mise en pages : Alinéa
Édition : Lisa Roche

Achevé d'imprimer par Black Print CPI Iberica S.L.U - Espagne
Dépôt légal 99136-3/04 - octobre 2017